Les mots
de la
faim
et de la soif

Couverture
- Conception graphique: Violette Vaillancourt
- Illustration: *La Noce villageoise* de Bruegel
- Photo de l'auteur: Les Paparazzi

Maquette intérieure
- Conception graphique: Alain Pouliot

DISTRIBUTEURS EXCLUSIFS:

- Pour le Canada et les États-Unis:
  LES MESSAGERIES ADP*
  955, rue Amherst, Montréal H2L 3K4
  Tél.: (514) 523-1182
  Télécopieur: (514) 521-4434
  * Filiale de Sogides Ltée

- Pour la Belgique et le Luxembourg:
  PRESSES DE BELGIQUE
  96, rue Gray, 1040 Bruxelles
  Tél.: (32-2) 640-5881
  Télécopieur: (32-2) 647-0237

- Pour la Suisse:
  TRANSAT S.A.
  Route du Grand-Lancy, 2, C.P. 125, 1211 Genève 26
  Tél.: (41-22) 42-77-40
  Télécopieur: (41-22) 43-46-46

- Pour la France et les autres pays:
  INTER FORUM
  13, rue de la Glacière, 75624 Paris Cédex 13
  Tél.: (33.1) 43.37.11.80
  Télécopieur: (33.1) 43.31.88.15
  Télex: 250055 Forum Paris

Hélène Matteau

Les mots de la faim et de la soif

LES ÉDITIONS DE
L'HOMME

Données de catalogage avant publication (Canada)

Matteau, Hélène

   Les mots de la faim et de la soif

   Comprend des références bibliographiques.

   ISBN 2-7619-0915-1

     1. Alimentation — Dictionnaires.   2. Gastronomie — Dictionnaires.
3. Boissons — Dictionnaires.   4. Français (Langue) — Mots et locutions.
5. Français (Langue) — Étymologie.   6. Français (Langue) — Formation des mots.
I. Titre.

TX349.M37 1990   641'.014   C90-096698-X

© 1990, Les Éditions de l'Homme,
une division du groupe Sogides

Dépôt légal: 4e trimestre 1990
Bibliothèque nationale du Québec

ISBN 2-7619-0915-1

À Vincent Collard

Merci de tout cœur à toutes les personnes qui,
chacune à sa manière, chacune à son heure,
m'ont aidée et encouragée.

Avant-propos

«L'étymologie représente la trace narrative de la vie du mot, le compte rendu de ses aventures.»

DUCHESNE et LEGUAY, *L'obsolète*

Les mots sont fascinants.

Un mot écrit, sur lequel on s'amuse à fixer le regard, se tait tout à coup; mais du simple dessin qu'il en reste, se mettent à surgir d'autres mots que l'on n'entendait pas.

Un mot entendu ne porte pas que sa mélodie propre, mais aussi celle de la voix qui le prononce, et c'est chaque fois un accord différent.

Mais surtout, un mot ne fait pas que nommer les choses ou les idées, il les raconte. *Mot,* par exemple. Je dis mot et j'entends silence (muet); je dis mot et j'entends musique (motet); je dis mot et j'entends légende (mythe); je dis mot et j'entends secret (mystère). Car mot, muet, motet, mythe et mystère sont tous nés de la même très vieille souche: *mu,* à la fois souffle et son.

Quand on sait écouter la belle histoire d'un mot, on ne peut que s'émerveiller. Et entendre, écrire ou parler devient un frais plaisir.

C'est ce plaisir que j'ai envie de partager ici.

Faim et soif, mais encore?

Ce livre a pour thème les mots qui expriment la faim et la soif. Puisque la faim et la soif constituent elles-mêmes des expressions fondamentales de tout ce qui veut vivre. La faim et la soif sont là à notre toute première heure, criardes, et leur vigilance nous contraint jusqu'à notre toute dernière. Elles sont omniprésentes dans nos préoccupations domestiques. Omnipotentes sur le destin du monde.

Autour de ces deux mots, faim et soif, en voici quelques centaines d'autres. Des mots de l'appétit et de la digestion, des mots qui disent boire et manger, boisson et nourriture, qui nous décrivent mangeant et buvant, qui racontent nos repas et ceux qui nous les servent, nos manières, nos excès, qui nomment les lieux où nous mangeons et buvons, les accessoires qui nous sont nécessaires.

Des mots, vous le verrez, qui ont beaucoup à dire.

Des mots — aussi des locutions, des expressions, bien sûr — d'ici et de France. Certains spécialisés, savants, littéraires, même pédants; d'autres populaires, argotiques, même vulgaires. Certains tout neufs, d'autres tout vieux, obsolètes même. Vous en trouverez qui ne sont jamais sortis de chez eux, d'autres qui ont fait, de détours en détours, presque le tour du monde. Il y en a de très jolis, des perles; d'autres sont ternes, mais bien utiles.

À vous de choisir. Car vous ne trouverez pas dans ce livre d'*il ne faut pas dire... mais il faut dire*. Ce n'est pas son but.

Son but, c'est de dévoiler le mystère des mots et des expressions. Pourquoi un **licher** nous échappe-t-il parfois, alors qu'on écrit toujours **lécher**? Pourquoi **dresse**-t-on le couvert, alors qu'en réalité, on le met à plat sur la table? Comment peut-on **siffler** son verre? Comment un **hôte** peut-il être à la fois celui qui invite et celui qui est invité?

Les mots parlent de nous

En racontant leur histoire, les mots de la faim et de la soif tracent notre portrait.

D'abord, nous sommes tout à fait obsédés par le boire et le manger: nous ne cessons, depuis César en Gaule, de créer, rapatrier, emprunter, adapter des mots pour les dire; insatiables, nous en inventons toujours. Les mots de notre appétit débordent même de la table. Entrent dans le commerce et jusque dans nos lits!

Nous sommes aussi plutôt... optimistes. «Les vrais optimistes, disait Georges Duhamel, n'écrivent pas: ils mangent, ils jouissent.» C'est ce que nous faisons. Et nous buvons, à torrents en plus! L'ombre menaçante de la faim et de la soif n'assombrit guère notre humeur langagière. La moindre bouchée est prétexte à la fête. C'est certainement, direz-vous, le fait de l'abondance. Oui, mais seulement en partie. Car, en vingt siècles, nous avons tout de même bien connu les disettes, les privations, les jeûnes. Nous n'étions pas tous invités à la table des rois. Mais nous avons, plus souvent qu'autrement, pris le parti d'en rire.

Notre rire, parlons-en. Nous l'avons assez rond, pour ne pas dire gras. Mais tout plein de santé. À l'image de nos ventres que nous affectionnons particulièrement. Nous avons eu longtemps une certaine indulgence — de l'envie même — à l'égard de toutes les rondeurs: celle des corps, celle des gestes, celle des mots.

Mais nous avons aussi des pudeurs! Appuyées d'un tantinet de jansénisme et de préciosité. Nous sommes maîtres ès euphémismes. On peut parler de tout mais tout ne se dit pas. Enfin, pas trop crûment. Heureusement, notre imagination, intensément active, nous fournit des figures, qui sont en somme au langage ce que sont, à la table, les bonnes manières.

Et puis nous savons recevoir et retenir nos hôtes: Grecs fins causeurs, Latins prodigues ou Germains pragmatiques.

Les mots nous montrent aussi comme de minutieux observateurs. Nous avons l'œil. Pouvons déceler, chez nos semblables, l'animal qui sommeille, l'objet qui se profile, le geste caractériel. Entre deux choses ou deux idées, nous cherchons le détail, l'infime différence qui puisse justifier la création d'un mot. Et bien sûr, nous les trouvons.

Nous avons moins d'oreille. Ou, au contraire, beaucoup de créativité harmonique? Toujours est-il que nous modifions sans cesse la mélodie, même la tonalité des mots. Et il faut être fameux musicien pour nous entendre d'un siècle à l'autre.

Que racontent encore sur nous les mots de la faim et de la soif? La plupart d'entre eux, que nous sommes fidèles: ils font depuis si longtemps partie de notre vie. Bien sûr, nous avons nos petites ingratitudes, nos fantaisies, nos imprudences, nos négligences. Comme le chante Michel Rivard, notre langue, «elle n'est pas toujours belle. Mais, vivante, elle se bat.» Et nous dirons longtemps faim et soif. En français.

Les mots parlent d'eux-mêmes

• De leur famille

L'histoire d'un mot, c'est d'abord son acte de naissance. Et son arbre généalogique. Savoir de quelle famille il est issu permet de mieux saisir sa personnalité. Surtout quand il a subi des transformations, parfois très marquées. Vous ne verrez plus de la même façon la **crédence** ni le **trapèze**. Quant à **fringale, repas, couteau** ou **estaminet,** ils permettront désormais à votre imagination de s'évader vers la campagne!

• De leurs voyages

L'histoire d'un mot, c'est aussi celle de ses déplacements. Car la langue française a une belle carrière dans l'import-export. Savoir quel peuple nous a donné tel mot à tel moment de son histoire, c'est pouvoir comprendre par exemple pourquoi personne n'aurait jamais naturellement l'idée d'appeler **cruche** un vase de cristal ni **carafe** un pot de terre cuite. Et c'est aussi ne plus être vexé que l'anglais **bar** soit entré dans le dictionnaire français.

• De leur époque

L'histoire d'un mot, c'est ensuite un petit saut dans l'histoire tout court. Avec **fourchette,** on entre chez les mignons d'Henri III. Avec **compagnon,** nous voici à la table médiévale. Avec **guinguette,** c'est Paris au dix-septième siècle. Avec **orgie,** la Rome excessive et **binerie,** la rue Mont-Royal!

Non, pas de *il ne faut pas dire*. Mais une réponse si vous hésitez devant **cabaret** (pour plateau), partir en **balloune, lunch, flasque** de gin ou **canette.**

• De leur génie

Et puis, l'histoire des mots nous rapproche de cette inspiration créatrice indéfinissable qu'on appelle «l'esprit» ou, plus magique encore, le «génie» de la langue.

L'esprit de notre langue tient d'une foule de facteurs: de nos façons d'entendre et de nos façons de prononcer; du besoin

◆

que notre langue soit efficace, nuancée, belle; de notre imagination et de la couleur de notre humour; de notre type de sensibilité et de notre façon de raisonner; de la nécessité de nous reconnaître comme membres d'une même communauté; des réalités auxquelles nous avons dû faire face; de notre genre de vie; et largement de nos rencontres avec les autres langues.

Ce génie particulier, c'est lui qui ouvre le sens des mots, les enrichit de sous-entendus. Qui fait par exemple qu'avec **débiter,** nous soyons passés du découpage du bois à la fluidité de la parole. Ou que nous ayons inventé **midinette**. C'est celui qui inspire le mot d'enfant, le poème et le calembour intraduisibles, l'idiotisme. Qui nous permet de structurer spontanément nos phrases et de créer, logiquement, des mots nouveaux.

• *De leur formation*

L'histoire des mots, justement, nous permet de comprendre leur formation et leurs transformations.

Certains se forment à partir d'une **onomatopée**, c'est-à-dire de l'imitation d'un son. C'est le cas de beaucoup de mots inspirés des bruits que nous faisons en mangeant et en buvant.

D'autres naissent simplement de la réunion de mots déjà existants: **casse-croûte** par exemple, mais aussi **embonpoint**... D'autres fois, on coupe un mot pour en faire un tout nouveau: **troquet** n'est que l'abréviation de **mastroquet**.

On peut aussi emprunter un mot d'une autre langue. Soit tel quel comme on l'a fait pour **lunch,** soit en le transformant; ce qui donne par exemple **sirop,** à l'origine *charâb*.

Et puis, une énorme quantité de mots provient de l'ajout, à un radical, d'un préfixe ou d'un suffixe ou des deux: avec **tabl(e)** on a obtenu *at*tabl*er,* tabl*eau,* *en*tabl*ement*. La plupart des préfixes et des suffixes français viennent du latin, mais nous en avons pris aussi au grec et à d'autres langues. Les préfixes et les suffixes peuvent changer non seulement le sens des mots mais leur fonction et leur registre.

On distingue une **formation populaire** et une **formation savante** des mots. La première procède en quelque sorte de l'évolution naturelle du mot, essentiellement phonétique. Il aura par exemple perdu une syllabe, changé une consonne pour une autre, se sera ajouté un préfixe. C'est la formation populaire qui va donner **manger**, puis **mangeaille**, à partir du latin *manducare*. Du même mot, la formation savante, elle, va

13

faire **manducation**. C'est-à-dire qu'elle va créer un nouveau mot directement à partir de l'ancêtre latin ou grec. Tous les mots de formation savante ne sont pas des mots savants, cependant. Ainsi: **vase,** du latin *vas*. Quand un mot d'origine subit les deux transformations, la populaire et la savante, cela donne ce qu'on appelle des doublets. *Acer* a donné **âcre** et **aigre**. Certains doublets sont synonymes, d'autres pas du tout.

• *De leurs transformations*

L'allure que présentent aujourd'hui les mots n'a pas toujours été la même. L'orthographe a subi beaucoup de modifications au cours des siècles. Par fantaisie, ignorance, souci de l'étymologie ou commodité. Mais souvent simplement parce que la prononciation du mot changeait. Quand on n'a plus fait sonner le t final de **repast,** il est tombé aussi à l'écrit. Si l'orthographe ancienne d'un mot livre de précieuses indications sur ses origines, la suite de ses graphies est peut-être encore plus passionnante. Car elle peut nous permettre en quelque sorte d'entendre le mot se transformer. Au gré des époques, des coins de pays, des groupes sociaux. De refaire avec lui ses voyages sonores.

• *De leurs significations*

Mais un mot, ce n'est pas qu'un contenant. C'est aussi un contenu. Il y a des mots tout à fait semblables mais, nés de parents différents, ils ont des sens très différents. C'est le cas de **louche**. Certains ont, en cours de route, acquis et perdu une ou plusieurs autres significations: **bouche,** c'est aussi une personne qui mange et une entrée de métro, ce fut autrefois le service de la table du roi. Et puis des mots ont perdu leur sens d'origine, comme **convive**.

Sous les changements de sens, on peut non seulement lire l'histoire, les mœurs ou la mentalité des locuteurs, mais pénétrer dans leur imaginaire visuel et sonore. Images et sons prolifèrent en français. Des images? Rien que pour nommer la **gorge,** on s'est servi du nom d'à peu près tout ce qui peut ressembler à une descente ou à un passage, de l'entonnoir au corridor! Des sons? Des chantants, des mordants, des secs et des mouillés, des dédaigneux, des souriants, des timides et d'autres qui s'imposent. Consultez, rien que pour voir, la liste des mots produits à partir du **g,** celui de gorge encore...

Enfin, les modifications de sens nous révèlent le cheminement des idées. Rares sont les mots à idée fixe. Car l'idée adore prendre la route. Elle se trace toutes sortes d'itinéraires, du plus simple au plus tortueux. Ne dédaigne pas les bifurcations. Se plaît dans les chemins de traverse. Faites le voyage avec **plat,** par exemple. Vous passerez de l'abstrait au concret, du propre au figuré, du contenant au contenu, de la géographie à la table, de l'adjectif au substantif. Si on parvenait à transcrire sur une carte ces déplacements sémantiques de nos mots, cela donnerait un réseau d'une inimaginable complexité!

Pourtant, nous nous promenons tous les jours dans ce réseau sémantique. Des centaines de ses routes nous sont si familières que nous nous y retrouvons d'instinct. Mais un grand nombre nous sont encore inconnues. Des routes abandonnées, dérobées, peu fréquentées ou toutes nouvelles. L'histoire des mots nous permet de les explorer.

Brève histoire du français de l'âge du bronze à TV5

On peut faire remonter le français jusqu'à des langues très anciennes, elles-mêmes nées de langues plus vieilles encore. La linguistique comparative et historique a pu en retracer l'existence grâce à des recoupements entre les langues. Ces recoupements ont dégagé des **racines** communes, encore présentes dans une foule de mots que nous employons aujourd'hui.

La recherche de l'origine d'un mot peut ainsi nous ramener très loin en arrière, jusqu'à ce qu'on appelle l'**indo-européen**. Qui n'est pas une langue, mais une famille de langues apparentées parlées par les populations vivant, il y a de cela trois à six mille ans, dans les régions situées en gros entre l'Himalaya et l'Europe centrale (les indications sont vagues, mais ce sont les seules dont on soit certain). Ces populations se sont dispersées, les unes du côté de l'Inde, les autres du côté de l'Europe, où elles se sont encore éparpillées aux quatre points cardinaux. Chaque groupe ayant développé sa langue propre, il y eut bientôt une multitude de langues. Nous savons tous ici que le destin d'une langue est intimement lié au destin politique du peuple qui la parle: il en fut donc des langues comme des peuples. Elles furent soumises aux aléas des guerres et des migrations, des relations commerciales, des mesures sociales, de la natalité, de la productivité. Ainsi, par

15

exemple, le gaulois disparut, le latin brilla puis s'éteignit, et le breton résiste encore!

La survivance d'un peuple, ce n'est au fond que celle de sa descendance… celle des langues aussi. Cela implique non seulement la diversification, mais aussi une évolution parfois extrêmement profonde. Car les langues, comme les peuples, ne sont jamais de purs produits de la création spontanée. Elles se forment et se transforment au gré de multiples alliances. Ainsi, la langue française, quoique née du latin, n'est pas plus du latin qu'une Québécoise n'est une Fille du Roy en exil ou que je ne suis ma bisaïeule.

Comment s'est donc formé le français?

PREMIÈRE ÉTAPE. Au début, il y a deux mille ans, les peuplades gauloises (il y en avait une centaine!) parlant chacune leur variété de gaulois se mettent à apprendre le latin, langue du conquérant romain. Ce latin qu'on apprend — par oreille —, c'est celui du peuple de la rue, passablement cosmopolite et souvent analphabète. La syntaxe, la prononciation, la grammaire, même le lexique présentent des différences notables avec le latin classique. Les Gaulois vont le parler avec leur accent celtique et y introduire nombre de leurs propres mots. Ce latin-là, c'est le **latin populaire** ou **latin vulgaire**. Il va être très productif.

EN RÉSUMÉ: un latin populaire, mâtiné d'un petit peu de gaulois. Les idiomes autochtones disparaissent peu à peu.

DEUXIÈME ÉTAPE. Au cinquième siècle, l'empire romain s'écroule sous la poussée des Germains, qui se divisent la Gaule. Car il n'y a pas un peuple germain, mais plusieurs. Qui ne parlent pas tous exactement la même langue. Les Gallo-Romains ne se mettront pas à parler germanique, mais leur langue va être passablement influencée. Surtout par celle des Francs. Parce que ce sont les plus forts.

Sous Charlemagne, au neuvième siècle, cette langue a acquis assez de personnalité pour qu'on lui ait donné un nom: **langue romane** ou **roman**. Mais c'est encore essentiellement une langue parlée. La langue écrite, c'est celle des clercs de l'époque, le **bas latin**.

Au dixième siècle, le roman est tout de même assez fort pour que les Francs abandonnent le germanique et pour s'imposer aux Normands, ces Vikings installés près de la Manche, qui exporteront en Angleterre tant de mots français. En réalité, le roman n'est pas une langue unique, mais plutôt une courte-pointe de dialectes et de sous-dialectes. On se comprend difficilement d'une région à l'autre. Mais ces parlers ont tout de même assez de traits communs pour qu'on puisse les regrouper en deux grandes familles: au nord, les **langues d'oïl,** plus marquées par l'influence germanique franque; au sud, les **langues d'oc,** de lignée plus directe avec le latin.

EN RÉSUMÉ: le roman. Une langue originale, forte, maintenant assez éloignée du latin pour qu'on doive écrire des glossaires latin-roman, mais encore diversifiée et pas encore généralisée.

TROISIÈME ÉTAPE. L'unification politique va amorcer l'unification des parlers. En l'an 1000, Hugues Capet, devenu roi de France, installe sa cour à Paris, en Île-de-France. Et adopte officiellement le dialecte de la région: le **francien**.

Comme le pouvoir royal, le francien rayonne. S'étend. Il s'enrichit d'éléments dialectaux. Une littérature se forme: romans courtois, chansons de geste, poésie. On écrit maintenant en *françois* ou, si vous préférez, en **ancien français**. Nous sommes aux douzième et treizième siècles.

Le français continue de se former. On considère que c'est aux quatorzième et quinzième siècles, époque du **moyen français,** que notre système linguistique se fixe réellement. C'est le temps de Villon et la naissance du théâtre.

EN RÉSUMÉ: naissance du français, à partir du francien, c'est-à-dire d'un subtil mélange de roman, de germanique et de dialectes locaux.

QUATRIÈME ÉTAPE. Le seizième siècle est un siècle déterminant pour le français. Il devient la langue de l'administration. L'alphabétisation contribue à le propager dans la vie courante. Les intellectuels prennent parti et le mettent à la mode. La langue est le sujet de discussion par excellence. On travaille à lui bâtir une grammaire, à élargir son vocabulaire par des emprunts au grec ancien, à l'espagnol et par lui à l'arabe, à l'allemand, et beaucoup à l'italien, très populaire à la cour. Les écrits, pas seulement littéraires, mais scientifiques, philosophiques, historiques, foisonnent. Il faut dire que l'imprimerie est maintenant inventée. C'est un siècle de créativité et de... fantaisie linguistiques.

EN RÉSUMÉ: adolescence du français. Il s'affirme tout en se permettant des frasques, s'enrichit d'emprunts tout en commençant de se donner des règles. C'est un français malléable et remarquablement expressif.

CINQUIÈME ÉTAPE. Le dix-septième siècle, très sérieux lui, va organiser tout ça, dompter cette langue un peu fofolle. En 1635, l'Académie française voit le jour. Et avec elle le principe du bel et bon usage. Du *il ne faut pas dire... mais plutôt*. On réglemente la prononciation, la syntaxe, l'orthographe, le vocabulaire, le style. La langue devient terriblement compliquée, recherchée, froide et élitiste. Mais cette intellectualisation de la langue aboutira tout de même à affirmer sa précision, sa clarté et son élégance. Et à la faire rayonner dans le monde. Ce qui n'est pas mince comme résultat. Cependant, les régions n'abandonnent pas pour autant leurs dialectes.

C'est à cette époque que le Québec se peuple. Loin des contraintes et des débats académiques, la langue des arrivants, originaires de plusieurs provinces françaises, suit son évolution naturelle et s'adapte aux nouveaux contextes. Il ne lui faudra pas longtemps pour se trouver une personnalité. Les observateurs de l'époque sont unanimes à lui reconnaître une originalité. Le jésuite Charlevoix écrira même: «Nulle part ailleurs on ne parle plus purement notre langue...» (cité par R. Douville et J.-D. Casanova, in *La vie quotidienne en Nouvelle-France*, Hachette, Paris, 1982).

EN RÉSUMÉ: la langue française gagne en structure ce qu'elle perd en pittoresque. C'est le français classique. Les parlers régionaux sont toujours en pleine vigueur. Le français d'ici se forme.

SIXIÈME ÉTAPE. La langue continue d'évoluer. Les siècles suivants voient la démocratisation, la scolarisation, l'industrialisation puis la médiatisation. La langue s'assouplit pour s'adapter aux nouveaux contextes. Elle crée ou emprunte des mots pour nommer les réalités nouvelles. Elle s'uniformise, pénètre partout; progressivement, les dialectes commencent à

perdre du terrain. La prononciation se transforme. La construction des phrases s'allège. L'anglais ayant pris une place
prépondérante dans le monde, le français subit son influence,
tout en s'efforçant d'y résister.

EN RÉSUMÉ: quoique à toutes fins utiles uniformisé, le
français contemporain n'est pas une langue inflexible: si nous
pouvons tous comprendre un même français, nous ne le parlons pas tous de la même manière. En se médiatisant, le français contemporain tend à la simplification.

Chapitre 1

Petit traité d'anatomie-physiologie

—

FAIM

C'est parce que le latin disait *fames* que le français, à partir du onzième siècle, a dit faim. Sous ce petit mot de quatre lettres se cache l'un des moteurs les plus puissants de l'histoire du monde. Car la faim, familière, douloureuse, rappelle chaque jour aux hommes la précarité et le prix de leur vie.

Une faim de vétérinaires

Au sens propre, le mot faim désigne la sensation normale qui pousse l'homme comme l'animal à chercher sa nourriture et à manger. Quand elle s'exprime par un autre mot, c'est que la faim n'est plus ordinaire, qu'elle est excessive, maladive même.

FRINGALE

Au point que c'est la langue médicale qui la nomme: hyperphagie, polyphagie, mais aussi fringale et boulimie. Ces deux mots sont désormais passés dans la langue courante, mais leur sens premier est celui d'un dérèglement dû à une maladie. Fringale, par exemple, est une déformation de faim-valle ou faim-calle ou faimgalle, et désigne la boulimie des chevaux. Ce valle ou calle ou galle, c'est le *gwal* breton, transformé au gré des prononciations régionales. *Gwal,* c'est: méchant. La fringale est donc une «méchante faim», ce qu'on appelait autrefois malefaim. Aujourd'hui, on entend dire une «petite fringale», mais à l'origine, le mot voulait décrire une faim impérieuse, dévorante.

BOULIMIE

Il est amusant de constater que la faim, quand elle est vraiment importante, fait référence au monde animal. Faim de cheval pour fringale, faim de bœuf pour boulimie. Car c'est littéralement ce que ce mot, hérité du grec *boulimia,* veut dire.

ALOUVI

Sans oublier la faim de loup (il existait autrefois un bien joli mot, alouvi, pour dire affamé comme un loup), celle qui le fait sortir du bois et qui peut le mener à n'importe quelle extrémité, même à l'anthropophagie! Plus de morale ni de politesse qui tiennent quand il s'agit de survivre. La faim, d'ailleurs, n'est-elle pas mauvaise conseillère?

> «... pour cette heure, j'ai nécessité bien urgente de repaître:
> dents aiguës, ventre vide, gorge sèche, appétit strident...»
> RABELAIS, *Pantagruel*

Avoir faim à en crever

Avoir faim peut se dire de bien des manières, mais toujours au moyen de locutions ou d'expressions. On disait fameiller, au douzième siècle. Et l'affamé, le famélique, était familleux ou fameillant, famelart ou faminos. Mais il n'existe plus de verbe simple pour dire avoir faim. Puisque affamer, c'est plutôt donner faim.

Quand on parle de la faim, on parle d'une souffrance qu'il faut calmer, apaiser, tromper... Qui fait appel au ventre, à l'estomac, aux dents. Ainsi, on aura le ventre creux, l'estomac vide ou, pis, l'estomac dans les talons. Cet estomac descendu si bas, c'est un peu obscur. Il s'agit probablement, selon le Robert des expressions et locutions, d'une façon de dire «marcher sur son estomac». Comme on se marche sur le cœur, comme on marche sur son orgueil? Ce qui suppose que l'on est dans l'impossibilité de laisser s'exprimer sa faim, dans l'impossibilité de la combler. À moins qu'il ne s'agisse, pour les mêmes raisons, que de placer son estomac le plus loin possible de sa bouche!

Si on a le sens de l'hyperbole — et comme Latins nous en avons notre part —, on envisagera les pires conséquences: on dira «je meurs de faim», «je crève de faim»; et l'affamé devient un meurt-de-faim, un crève-la-faim. Si on a le sens du résumé, on simplifiera: «je la crève», «j'ai un creux», «j'ai la dent», sous-entendu la dent longue. Car avoir les dents longues, qui ne s'emploie aujourd'hui qu'au figuré pour parler d'ambition, a d'abord signifié, au dix-huitième siècle, avoir une très grande faim. Les dents, la faim les fait claquer. Et le claquedents, qui n'a rien à mettre sous la sienne, «a les crocs».

Dans la région du Saguenay on entendra peut-être «tomber en fringale», ce qui impose de devoir manger tout de suite sous peine de tomber de défaillance. Chaque région a ses expressions favorites pour décrire la sensation de faim. L'une des plus originales étant peut-être «avoir midi dans l'estomac», relevée au Québec par Proteau.

Une soif bien extinguible

SOIF

Le mot soif nous vient lui aussi du latin: *sitis*. Mais sa forme a changé au cours du douzième siècle. Le f n'a pas toujours été présent, ni à l'écrit ni à l'oral. Il s'est fixé par nécessité d'éviter l'homonymie avec d'autres mots comme le pronom soi, par exemple. En fait, il a existé un mot soif qui désignait une haie, une palissade, mais il a bientôt été remplacé.

Comme pour la faim, les synonymes de la soif sont des mots du langage médical venu du grec: dipsomanie, potomanie, qui s'appliquent à des cas symptomatiques de maladies particulières.

S'il existe un verbe soiffer, il ne signifie pas avoir soif mais boire. Quant à assoiffer, il suit le modèle d'affamer et veut dire donner soif. L'énorme majorité des façons de dire la soif exprime son étanchement plutôt que le besoin de boire. On peut bien dire avoir soif, être assoiffé, faire soif, être altéré, tirer la langue, avoir le gosier sec... mais comme «la soif s'en va en buvant», selon le mot de Rabelais jouant les La Palice avant l'heure, le vocabulaire s'est développé bien plus vers le plaisir de boire que vers les tiraillements de la soif. C'est ce que nous verrons plus loin.

ORGANES ET ORGANISATION

Bouche, ventre, salive, ce sont des mots latins à peine déguisés: *bucca, venter, saliva*. Mais d'autres mots nommant les organes de l'appareil digestif ont eu à effectuer certains détours assez intéressants.

Un estomac instable

ESTOMAC

L'estomac, par exemple. Cela commence par une ouverture, une bouche en somme: *stoma,* mot grec qu'on va retrouver dans stomatologie, la médecine de la bouche et des dents, ou dans stomatoscope, la lampe dont se sert le médecin pour examiner la bouche. De la bouche au viscère, l'estomac s'est aussi arrêté en cours de route à la poitrine. Comme le mot poitrine était jugé un peu vulgaire, on lui a préféré estomac à partir du quinzième siècle jusqu'à ce que nous ayons été moins gênés d'appeler les choses par leur nom. Le mot a traversé l'Atlantique avec les colons français et, de nos jours encore, chez les vieux Québécois, on entendra peut-être estomac pour poitrine, surtout s'il s'agit de poitrine féminine ou même seulement de corsage. Mettre une lettre dans son estomac, c'était la placer dans sa chemise; on ne l'avalait pas!

L'estomac, c'est aussi le cœur, entendez le courage. Quelqu'un qui a de l'estomac n'est pas nécessairement pansu, mais il a les nerfs solides, de l'aplomb et de la fermeté émotive. Ce sens se retrouve dans le mot estomaqué: avoir le souffle coupé, être extrêmement étonné, être ébranlé émotivement. Et si on vous traite d'estomac frette, c'est qu'on vous accuse de ne pas garder les confidences, de répéter un secret ou de dénoncer les autres.

À l'inverse, le cœur, c'est parfois l'estomac. Par exemple, quand quelque chose est resté sur le cœur ou fait lever le cœur, c'est en réalité l'estomac ou le foie qui se rebiffent.

GASTRO-
NOMIE

Mais les Grecs, eux, disaient *gaster* pour estomac. C'est ce *gaster* qui servira à créer le mot gastronomie entre autres. On attribue cette création à Joseph Berchaux, auteur de *La Gastronomie et l'Homme des champs,* et cela se passait à la toute fin du dix-huitième siècle. Le mot gastronome l'emporta sur gastrophage et gastrolâtre, suggérés par de beaux esprits pour désigner l'amateur de chère raffinée. Le mot fit d'abord rire, comme nous le rapporte Brillat-Savarin: «... il parut doux aux oreilles françaises et, quoique à peine compris, il a suffi de le prononcer pour porter sur toutes les physionomies le sourire de l'hilarité.»

Un foie végétarien

FOIE

Vu à la loupe étymologique, le foie est d'origine... végétale! Voici son histoire.

Les Romains connaissaient et appréciaient fort le foie gras, comme les Grecs avant eux. Ce sont les Grecs qui avaient eu l'idée d'engraisser les oies aux figues, ce qui rendait leur foie si succulent. Ils nommaient donc le foie gras *hepar sukôton,* c'est-à-dire foie aux figues. Les Romains empruntèrent la recette et le nom de la recette, qu'ils traduisirent littéralement par *ficatum jecur*. Mais il n'y avait pas que les Latins pour adorer le foie gras. Les Gaulois se mirent eux aussi au gavage des oies, au point d'en devenir les spécialistes. Ils se vengeaient peut-être des oies du Capitole qui les avaient empêchés de s'emparer de la citadelle romaine? Toujours est-il que le foie gras devint très populaire dans ce qui est aujourd'hui la France et il advint à l'expression *ficatum jecur* ce qu'il advient aux expressions très couramment employées: elle fut abrégée. On laissa tomber le *jecur,* c'est-à-dire le foie, pour ne garder que le *ficatum,* la figue. *Ficatum* devint *figido* en bas latin, au huitième siècle, fedie puis feie en ancien français, et enfin foie. Notre foie est donc en réalité une figue.

Une bouche royale

BOUCHE

Comme notre bouche était la joue. Les Latins disaient *os, oris* pour désigner la bouche, ce qui nous donnera oral entre autres. Peu à peu, ils étendirent le sens de *bucca* (la joue) à la bouche et nous leur empruntâmes ce sens-là. Mais la bouche n'a pas été que la bouche! Longtemps, le mot s'appliqua aussi à l'ensemble des opérations de cuisine. La Bouche du roi, par exemple, était un secteur très étendu des activités du palais (évidemment...). Elle comportait tous les services touchant de près ou de loin la table: approvisionnement en denrées, culture, apprêt des aliments, cuisine. Elle avait ses officiers, ses écuyers, ses gardes. On dit encore «provisions de bouche» où bouche est synonyme d'alimentaires. Une bouche, c'est aussi une personne quand on la considère comme devant être nourrie. Les bouches inutiles, ce sont les gens qui ne gagnent même pas leur nourriture. Une personne de plus dans la famille, c'est une bouche de plus à nourrir.

Malgré les apparences, il n'y a pas de lien entre bouche et boucherie, puisque le boucher, c'est d'abord le pourvoyeur en viande de bouc.

Un ventre de bœuf

VENTRE

Si l'estomac a parfois remplacé la poitrine, il a lui-même parfois été remplacé par le ventre. Surtout dans des expressions courantes comme «avoir le ventre creux» ou dans des proverbes comme «Ventre affamé n'a point d'oreilles» (Jean de La Fontaine l'emploie dans *Le Milan et le Rossignol*), «On tient les hommes par le ventre» (conseil abondamment distribué à plusieurs générations de jeunes mariées pour les inciter à devenir de bonnes cuisinières) ou encore «Tout ce qui entre fait ventre» (rimette amusante qui traduit le fait que le corps sait profiter de tout ce qu'il ingère). D'ailleurs, la rondeur de la silhouette a souvent été associée à la prospérité et à la santé. Être gros, c'était signe que la nourriture — donc l'argent — abondait à la maison.

PANSE

On dira parfois la panse pour le ventre. Pour les Latins, d'ailleurs, *pantex* est le ventre. Mais proprement parlant, la panse est le premier des quatre estomacs des ruminants et son nom scientifique est rumen. C'est que le langage familier fait souvent appel aux comparaisons avec le monde animal quand il s'agit de nourriture. Pensons à amuse-gueule, à faim de loup, à manger comme un cochon ou à picorer. Le mot panse est surtout préféré quand on veut impliquer l'idée de grosseur, de rondeur, d'abondance. Par exemple, dans des expressions comme avoir une panse de chanoine ou avoir les yeux plus grands que la panse. Enfant, j'entendais avoir les yeux plus grands que la «dépense» (nous nommions ainsi le garde-manger). Et je n'imaginais rien de moins qu'un géant pour avoir les yeux si grands.

Un œsophage grec

ŒSOPHAGE

Pour se rendre de la bouche à l'estomac, la nourriture passe par l'œsophage. Voilà un mot très grec, très savant, très vieux, que la langue populaire délaisse au profit de gosier et de ses multiples synonymes très imagés. Étymologiquement, œsophage est formé de deux verbes grecs, *oisein*: porter et *phagein*: manger. Il s'agit donc d'une espèce d'aqueduc, de convoyeur, de service de livraison à domicile...

LE VENTRE COMPARÉ

Le ventre plat ou le ventre raisonnable n'ont pas inspiré notre fantaisie métaphorique. Mais le ventre rond, oh! oui.

De sorte que lorsque nous donnons à notre ventre d'autres noms que «ventre», nous faisons appel la plupart du temps à des contenants de bonne capacité ou à des objets de forme rebondie.

Ainsi, le ventre peut être associé à:

- un appareil d'éclairage:
  - lampe
  - lanterne

- un récipient:
  - bocal
  - bedaine*
  - bidon ou bide
  - fût
  - tonneau
  - caisse
  - barrique

- un aliment:
  - brioche
  - boudin

- un meuble:
  - buffet
  - bahut

- un vêtement:
  - à ventre déboutonné
  - plein la ceinture
  - emplir son pourpoint
  - manger à se faire péter la sous-ventrière

- un coussin:
  - se bourrer

- un ballot:
  - se paqueter

- un instrument de musique:
  - tambour

---

* C'est-à-dire un vase pansu, puisque c'est ce que désignait «bedaine» au quatorzième siècle. Le mot, comme ses dérivés bedon ou bedondaine, serait apparenté au gaulois *butta*: la saillie du bouclier et au bas-latin *buttis*: le tonneau. Il est de la famille des mots à radical *bod, bid, but* ou *bout* exprimant le renflement, comme bouteille.

*   *   *

Bruits de gorge

«Ne fais pas de bruit en avalant!»

Voilà ce que nous avons tous entendu, étant petits. Car manger et boire sans bruit, voilà un des principes fondamentaux des bonnes manières à la table occidentale.

Pourtant, si nos très très lointains ancêtres avaient été éduqués dans ce silence de la déglutition, ils n'auraient peut-être jamais pensé mettre en mots le bruit de la gorge qui avale. Et nous aurions été privés de tout un vocabulaire très expressif et tout à fait utile.

C'est donc probablement à partir d'une onomatopée que les langues indo-européennes ont créé des radicaux comme *gwel* et *gwer* pour dire: avaler.

Le latin, en jouant avec le g et le l, le g et le r, s'est donné, à diverses époques et dans divers milieux, des mots comme *gula*: la bouche; *gluttus*: le gosier; *gurges,* le gouffre puis la gorge. En supprimant le g mais en gardant le w (prononcé v), il a fait *vorare, devorare* et *vorax*.

GUEULE

GORGE

DÉVORER

Et voilà où nous avons pris gueule (l'ancien français disait goule) et dégueulasse; goulu, goulot et margoulette; glouton, déglutition et engloutir; gorge et ingurgiter. Plus tous leurs dérivés. Enfin, toute la série des vore: carnivore, omnivore, frugivore et herbivore, dévorer et voracité. Sans compter les régionalismes qui abondent dans le paysage des g. Rien qu'au Québec, on peut entendre gorgoton, gorlot, gueurlot...

GLOTTE

Les Grecs, eux, avaient *glossa* ou *glôtta* chez les Athéniens: la langue. Nous en ferons glotte (et polyglotte où la langue est prise dans le sens de langage, mais ceci est une autre histoire). Ils utilisaient aussi une onomatopée très créatrice: garg. D'où naîtront gargouille et gargouillis, gargarisme et gargoter, le vieux gourgousser et le joli gargamelle, composé de garg et d'un vieux mot, calamelle, qui désignait un tuyau. À l'époque de Rabelais, gargamelle, en langue populaire, signifiait gorge. Aussi est-ce le nom de Gargamelle qu'il donna à l'épouse de Grandgousier, mère de Gargantua dont elle accoucha par l'oreille, après un plantureux repas de tripes!

GARGA-
MELLE

Le son g est présent aussi dans certains mots d'autres langues et d'autres dialectes en rapport avec la gorge ou la bouche. Ainsi, les Gaulois avaient fait *gos* dont nous ferons

29

GOBER

gosier après quelques détours, et *gobbo*: la bouche, qui servira à gober, gobelet, se goberger ou dégobiller. Et l'ancien français utilisait gave pour gorge, et c'est ce qui nous donnera gaver.

MOTS NÉS D'ONOMATOPÉES IMITANT DES BRUITS DE GORGE

Gueul, goul (par le latin *gula*)
gueule, gueulard, gueulée, gueuler
engueuler, engueulade
dégueuler, dégueulasse
gueuleton, gueuletonner
goulu, goulée
gouleyant
engoulevent
goulet
goulot
goulotte
dégouliner, dégoulinade
margoulette, margoulin, margouline, margouliner (1)
bagou, bagouler
goulafre, gouliafre

Glot, glou, glut (par le latin *gluttus* ou le grec *glotta*)
glotte
sanglot, sangloter
glouton, gloutonnerie
engloutir, engloutissement
déglutir, déglutition (2)

Garg, gurg, gorg (par le grec *gargarizein* ou le latin *gurges*)
gargariser, gargarisme
gargote, gargoter, gargotier, gargot
gargamelle
gargouille, gargouillis, gargouiller, gargouillement
gargoulette
ingurgiter, ingurgitation
dégurgiter, dégurgitation
régurgiter, régurgitation
gorge, gorgée, gorger, gorgeon (3)
engorger, engorgement
dégorger, dégorgement
regorger, regorgement
se rengorger

égorger, égorgement, égorgeur
gorgoton

Gav, gob, god (par le mot dialectal *gaba* et le gaulois *gobbo*) (4)
gaver, gave, gavage, gavion, gaviot
gober, gobelet, gobette, gobelotter, dégober
se goberger
gobichonner
godaille, godailleur
gobille, dégobiller

Autres (5)
graillonner
jargon, jargonner
jaser, jaseur, jasette
gazouiller, gazouillis, gazouillement
goître
guttural
gouailler, gouailleur, gouaillerie
goualer, goualante
engouer, engouement, s'engouer

D'autres mots nous viennent de bruits de gorge, mais de gorges animales: glousser, grogner, grommeler, roucouler, etc. Mais nous nous limiterons ici aux humains.

---

(1) Le margoulin était un marchand; il est devenu un petit spéculateur. La margouline, c'était le bonnet des marchandes à la criée. On disait d'un colporteur qu'il margoulinait.

(2) Déglutiner et agglutiner ne sont pas de cette famille. Il viennent de glu.

(3) Par euphémisme, gorge a aussi le sens de poitrine, particulièrement poitrine féminine. Aussi gorge a-t-il des dérivés ayant rapport au vêtement (gorgeron, par exemple). On pouvait entendre au seizième siècle l'adjectif *gorgiase,* qui s'appliquait à une femme pimpante et appétissante. C'est le même mot qu'on retrouve en anglais sous la forme *gorgeous.*

(4) Tous les étymologistes ne sont pas d'accord avec l'idée qu'il y ait une onomatopée sous *gobbo* et *gaba.*

(5) Sous ces mots, il y a des influences germaniques et, dans les derniers de la liste, celle de *gaba,* dont on croit qu'il est prélatin, donc assez vieux merci!

*   *   *

La digestion est une gestion

Relisons Brillat-Savarin:

«On ne vit pas de ce qu'on mange, mais de ce qu'on digère. Il faut donc digérer pour vivre, et cette nécessité est un niveau qui courbe sous sa puissance le pauvre et le riche, le berger et le roi. Mais combien peu savent ce qu'ils font, quand ils digèrent!…»

DIGÉRER

Eh bien! quand nous digérons, nous distribuons, nous organisons les aliments à l'intérieur de notre corps. C'est ce que nous explique l'étymologie. En effet, le mot digérer vient du verbe latin *gerere, gestus,* qui signifie au premier chef porter sur soi (d'où gestation), puis porter en soi (d'où ingérer, c'est-à-dire introduire à l'intérieur) et enfin, au figuré, prendre sous sa responsabilité, prendre sur soi d'exécuter quelque chose. C'est ce sens figuré que l'on trouvait dans la locution *belli gerere,* par exemple, qui signifiait faire la guerre, non pas simplement au sens de se battre, mais bien d'organiser la bataille. (Le français a fait belligérant à partir de cette locu-

BELLI-
GÉRANT

tion.)

De *gerere,* nous avons gérance et registre aussi. On voit donc que la digestion est bel et bien un geste de triage, de répartition, d'organisation interne du travail. Bien digérer, c'est mener à bien la gestion de la nourriture. Cela nous remet tout à fait dans le contexte d'un corps-machine, dont le bon fonctionnement va dépendre non seulement de la régularité et de la qualité de l'alimentation, mais aussi de la réussite de l'organisation du travail de chacun des organes, en vue d'une assimilation parfaite par l'organisme. N'entend-on pas souvent parler du «travail» de la digestion? Et quand, d'une émotion, d'un événement, de l'attitude d'une personne, nous disons: «Je ne le digère pas», nous transcrivons simplement sur le plan psychologique ce qui se passe sur le plan physiologique quand le corps n'accepte pas d'assimiler un aliment.

SENSATIONS

Le goût ou l'art de choisir

Qu'est-ce qui fait la différence entre se nourrir par nécessité et se nourrir par plaisir? Qu'est-ce qui distingue le gastronome du simple mangeur?

> «Le goût, c'est un organe délicat, perfectible et respectable comme l'œil et l'oreille.»
> GUY DE MAUPASSANT

GOÛT

C'est le goût. Le mot remonte aux langues indo-européennes où déjà il avait le sens d'éprouver, d'apprécier. Le goût, c'est le sens qui permet de distinguer, de juger les quatre saveurs qui existent dans la nature: le salé, le sucré, l'acide et l'amer.

Mais nous lui donnons un sens bien plus étendu que celui de la simple perception. Le goût, c'est aussi la saveur: grâce à mon goût, je perçois le goût de la pomme. Plus encore. Si j'ai une faiblesse pour les pommes, on dira que j'ai du goût — donc de la préférence — pour les pommes. Ai-je faim d'une pomme? J'aurai le goût d'une pomme. Et si je ne choisis que des pommes de qualité, on dira que j'ai du goût pour choisir les pommes.

Le goût désigne donc aussi bien le sens de la gustation que la saveur, l'inclination et le discernement. Il s'agit d'un mot à multiples facettes, chacune se rapportant toutefois à quelque chose de très personnel: des goûts et des couleurs, on ne discute pas, dit un adage depuis au moins le dix-huitième siècle.

Pour goûter, le principe est le même. Ce verbe signifie aussi bien percevoir une saveur qu'avoir cette saveur — je goûte la pomme qui goûte bon — et, plus encore, ressentir du plaisir: je goûte particulièrement le fait que la pomme ait bon goût.

Ces raffinements de sens sont déjà présents à l'origine des mots goût et saveur. Ainsi, la racine *geus* — qui va donner en latin puis en français toute la famille de goût (le dégoût, le ragoût, la dégustation, l'avant-goût et le petit arrière-goût) —

est aussi, cette fois en passant par le germanique, à l'origine des mots choix et choisir. Car avoir du goût, c'est bien savoir choisir, savoir discerner d'abord les saveurs, puis ce qui est bon et beau en général. Qu'on ait du goût pour les pommes, pour une personne, les œuvres d'art ou les voyages, il s'agit chaque fois d'un jugement porté par un individu sur ce qu'il lui convient d'aimer.

Ce que le mot goût nous dit, c'est que la recherche du bon passe non seulement par le filtre sensoriel, mais aussi par le filtre intellectuel.

«Il n'y a pas un millimètre du monde qui ne soit savoureux.»
JEAN GIONO

Le savoir savourer

La saveur des choses de la vie tient en quelque sorte de ce qu'on appelait la sapience, à la fois sagesse et connaissance.

SAVEUR

Car sous le mot saveur se cachent le savoir, la science et la sagesse. Tous ces mots sont nés de *sapere* qui signifiait avoir de la saveur quand on parlait de choses et avoir du discernement quand on parlait des gens. Ce savoir qui nous fait juger du sapide et de l'insipide, et choisir de savourer la vie. Ce que font les gens sages et les gens de goût!

Un goût, une saveur, peuvent être désagréables. Employés seuls, cependant, ces mots expriment le plus souvent l'idée d'une chose bonne. Une personne qui a du goût a bon goût; un mets qui a de la saveur a une saveur agréable, au point d'ailleurs que savoureux ne signifie que bon. Mais il arrive que goût, employé absolument, décrive plutôt un mauvais goût. Ainsi, Bélisle donne l'exemple du beurre rance dont on dira, par euphémisme sinon par politesse, qu'il a un «petit goût».

En ancien français, on disait sade pour savoureux. Ce mot, de la même famille que saveur, s'est ensuite appliqué à une personne charmante, d'humeur agréable. Si au contraire vous étiez boudeur ou en rogne, vous deveniez mal sade. C'est ce que nous disons encore sous la forme maussade. Une personne maussade se trouve donc comparable à un mets au goût désagréable. On ne s'en reprend pas!

MAUSSADE

34

La langue délègue sa fonction

PALAIS

C'est la langue, grâce à ses papilles, qui permet de goûter. Pourtant, les expressions courantes font plutôt référence à la langue pour ce qu'elle est l'organe de la parole. À part les occasions où elle est longue, où elle est même à terre tellement on est fatigué, où on la tire parce qu'on a soif ou qu'on fait la nique à quelqu'un, la langue, c'est ce qui sert à parler: langue de vipère, langue bien pendue, langue qu'on devrait tourner sept fois... Et c'est le palais qui, dans le langage, devient le siège de la gustation. (Son homographe, palais: demeure royale, n'a pas de rapport étymologique avec lui.) Les Latins utilisaient le mot palais pour dire le goût, au sens propre comme au sens figuré. Par exemple, *palatum non habet,* littéralement «il n'a pas de palais», se traduit par: «il manque de goût»; et *palatum suscitare,* c'est «éveiller le goût». Comme eux, nous remplaçons la langue par le palais quand nous disons d'un mets délicieux qu'il flatte le palais et d'un gourmet, qu'il a le palais fin.

TÂTE-VIN ou TASTE-VIN: Au Moyen-Âge, un taste-vin, c'était un ivrogne. À cette époque, le verbe taster avait déjà le sens de tâter mais aussi celui de goûter, encore présent dans le taste-vin d'aujourd'hui, qui est un petit ustensile servant aux dégustateurs. En empruntant *taste* au vieux français, l'anglais lui a conservé son sens d'origine: goût.

Goûtez, goûtez, il en restera toujours quelque chose

Tout ce qui se goûte sera soit amer, soit acide, soit sucré, soit salé. Et comme pour goût, ces quatre mots ne se limitent pas à l'alimentation. Leur sens s'étend aussi à d'autres champs de perceptions, et psychologiques celles-là. Ainsi, seront peut-être amers des regrets; seront peut-être acides des couleurs; sucrée une attitude; salée l'addition. Les quatre saveurs s'appliquent souvent et particulièrement à des paroles: reproches amers, propos acides, flatteries sucrées, blagues salées. Extension de sens tout à fait logique: le point de départ n'est-il pas la langue qui, justement, remplit la double fonction de perception et d'expression?

35
◆

Mélancolie

AMER

Ce qui est amer produit une sensation un peu rude, laisse souvent au fond de la gorge un arrière-goût de remède. Comme les décoctions de plantes, telles la chicorée et la rhubarbe, ou d'écorce d'arbres tel le tremble. Sur le plan psychologique, l'amertume laisse au fond de la mémoire un sentiment de dégoût, de rancœur, de tristesse. L'amertume, ça ne passe pas facilement. Il faut bien du sucre — des douceurs — pour la faire oublier. Le mot amer nous vient du latin *amarus* qui va aussi donner — en passant par l'italien — leur nom aux cerises marasques, fruits amers dont on fait une liqueur: le marasquin.

Orange verte et orange mûre

ACIDE

Ce qui est acide est piquant. Comme les agrumes. Les mots acidité et agrume, vous l'aurez deviné, ont d'ailleurs la même origine, très lointaine. Tout part d'une petite syllabe, *ak,* qu'on va retrouver, parfois claire et parfois déguisée, dans une foule de mots désignant quelque chose de pointu ou de piquant: aigu, âcre, acide et tous leurs dérivés, de vinaigre à aiguiser, d'aiguille à acéré, d'acier à églantine, d'acrimonie à exacerbé, d'acupuncteur à aigreur.

AIGRE

L'aigreur tient donc de l'acidité, mais c'est une acidité désagréable. Comme celle d'un aliment suri (ce mot-là, entre parenthèses, vient du francique et on le retrouve en allemand et en anglais sous les formes *sauer* et *sour*). Au figuré, l'aigreur et l'amertume sont généralement synonymes, mais il y a sous le mot aigreur un petit quelque chose de pointu, de sifflant comme une bise, de blessant. L'amertume fait appel plutôt à la frustration passive d'un tempérament bilieux, rabâcheur. Remarquez d'ailleurs qu'on parle d'aigreurs en ce qui concerne l'estomac et d'amertume en ce qui concerne le foie, puisqu'on désigne sous le nom d'amer certains fiels animaux. L'aigreur est agressive, l'amertume est mélancolique.

Il n'est pas toujours simple de déterminer les saveurs. Elles se mêlent souvent, en proportions variables. Savoir les reconnaître est un art. Savoir les doser, les marier ou les contraster, les adoucir ou les animer, alors là, c'est du grand art! Mais ces saveurs mêlées existent aussi à l'état naturel. Prenez une orange mûre: n'est-elle pas à la fois acide et sucrée? Comment dire sa saveur? Sans doute ce problème intriguait-il Jean Antoine de Baïf, l'un des sept poètes de la Pléiade avec du Bellay et Ronsard, puisqu'il inventa un mot pour décrire cette composition de saveurs: aigre-doux. Cela se passait en 1541.

AIGRE-DOUX

Mais il n'y a pas que le mélange des saveurs. Le dosage aussi mérite d'être nommé. Si le vin aigre est imbuvable, une petite touche d'aigreur peut, au contraire, donner au vin une caractéristique très agréable. On dira donc aigrelet et les verres se rempliront. De même, acidulé a une couleur que jamais acide n'aura. Offrez un bonbon acide, vous risquez de passer pour un empoisonneur. Offrez un bonbon acidulé, on vous en redemandera!

AIGRELET ACIDULÉ

Ah! la douceur indienne!

SUCRÉ

Le sucré est associé à la douceur. Et pas qu'en français: l'anglais emploie *sweet* aussi bien pour dire sucré que pour dire doux. D'une friandise, nous dirons que c'est une douceur. Sucrer a comme synonyme adoucir. Un vin doux est un vin sucré. Une substance comme la saccharine, qui donne une saveur sucrée, est dite édulcorante. Et le mot édulcorer vient du latin *dulcis*: doux.

ÉDULCORER

Au figuré, le sucré devient plus douceâtre que doux. Avec ce que cela comporte d'un peu pervers. Des paroles sucrées — on dit aussi mielleuses —, il vaut mieux se méfier. De quelqu'un qui «fait le sucré», qui se fait «tout sucre tout miel», on peut être sûr qu'il cherche à séduire pour mieux tirer son bénéfice.

Car l'aliment sucré, c'est le plaisir. Le bien-être. La récompense. L'objet de convoitise. Celui qui «se sucre», c'est celui qui sait profiter, au propre comme au figuré, du passage du sucrier! Tant pis s'il n'en reste plus pour les autres. On dit que les péagers d'autrefois, frontière après frontière, tout au long du grand parcours que suivait le sucre à travers l'Europe, savaient prélever abondamment leur part... ce qui fit du sucre une denrée d'autant plus précieuse que très chère.

SACCHA-RINE

Le sucre, comme son nom, nous vient de loin. De l'Inde d'abord où la langue sanscrite l'appelle *sarkara* ou *carkâra*: le grain. On entend bien ici le *saccharon* grec dont le latin fera *saccharum* et nous, beaucoup plus tard, au dix-neuvième siècle, saccharine.

Cultivée ensuite par les Arabes, la canne à sucre indienne devient dans leur langue *soukkar*. Lors de la première croisade, les croisés la rapportent de Syrie en Europe. Comme c'est en Sicile, dont le climat lui est favorable, que la culture du sucre aura le plus de succès, on retrouve bientôt le nom arabe italianisé: *zucchero*. En France, ce *zucchero,* que les croisés avaient d'abord appelé «cannes miellées» ou «miel indien» (tout ce qui était sucré à cette époque avait nécessairement goût de miel, puisqu'on ne connaissait que le miel pour sucrer!), se transforme en çucre, vers le douzième siècle, puis enfin en sucre au treizième.

Le sucré est associé à l'enfance, au luxe, à l'amour. Ce qui est sucré est toujours perçu comme bon, bon-bon; même les gens qui ne sont pas attirés par les mets sucrés ne les trouvent pas mauvais, plutôt trop riches ou trop doux. Les cadeaux alimentaires traditionnels sont le plus souvent sucrés: chocolats, nougats, gâteaux d'anniversaire.

«J'vous ai apporté des bonbons
Parc'que les fleurs c'est périssable
Puis les bonbons c'est tell'ment bon
Bien qu'les fleurs soient plus présentables»,

chantait Jacques Brel en amoureux hésitant qui opte finalement pour le sucré, valeur sûre.

Très tôt, les apothicaires ont compris l'importance du sucré pour masquer ou adoucir le goût des remèdes. Nombre de médicaments sont non seulement édulcorés, mais présentés sous forme de bonbons ou de sirops, séduisants autant pour les adultes que pour les enfants. Il existait une expression pour décrire un flagorneur aux paroles fallacieuses et c'était «pilule ensucrée». À rapprocher de «dorer la pilule», qui joue cependant sur la couleur, l'apparence extérieure, plutôt que sur le goût, et de «faire le sucré» dont nous parlions un peu plus haut.

Mon p'tit chou à la crème, mon p'tit pain sucré, mon p'tit lapin en chocolat… Pourquoi les amoureux expriment-ils leur tendresse en prononçant ces p'tits mots doux et sucrés? Un anthropologue de l'université Johns Hopkins de Baltimore s'est penché sur les raisons qui poussent les humains à utiliser des termes évoquant le sucré pour traduire leurs sentiments. Peut-être faut-il remonter aux temps anciens lorsque nos ancêtres, les primates, ont découvert le goût des fruits de la jungle qu'ils cueillaient sur les arbres? Ou relier ce phénomène à l'amour de l'enfant pour le lait maternel sucré? Au fond, peu importe la provenance de l'utilisation de ces p'tits mots «doux sucrés», puisque juste de les entendre ou de les dire nous fait oublier le reste du monde, pour un instant du moins.

CHRISTIANE
«La Presse des Six-Douze», *La Presse*, vendredi 1er juin 1990.

Un grain de sel dans la sauce

SEL

Le sel, comme l'eau, est indispensable à la vie. Notre corps en a besoin quotidiennement. Le sel nous protège contre la déshydratation en provoquant la soif; cette constatation a donné l'expression «avoir le bec salé» qui veut dire avoir soif. Il aide aussi à retenir l'eau dans les tissus. Nos humeurs sont salées: larmes, urine, sueur, sang et bien sûr, salive, dont le nom vient du latin *sal*, le sel. Nous sommes en quelque sorte des êtres salins.

Notre goût pour le salé est donc tout à fait naturel. Mais se serait accentué à partir du moment où nous avons commencé à faire bouillir nos aliments, leur faisant ainsi perdre de leur teneur en sel. Nous partageons le goût du salé, contrairement à celui du sucré, avec les animaux.

SALÉ

Mais si le salé est très agréable en lui-même, il est plus désirable encore par le fait qu'il masque l'amer et le rance, contrôle l'acide, atténue le sucré et d'une façon générale, à bonne dose bien sûr, relève la saveur propre des aliments. C'est pour cela que nous continuons, malgré les mises en garde de nos médecins, à remplir — et surtout à vider! — nos salières.

Saler et salé sont arrivés en français au douzième siècle, en même temps que sel, du latin. Le latin, lui, tenait *sal*: le sel de langues plus anciennes où il avait la même signification. (Le

39

grec, lui, l'avait transformé en *hals*; aussi l'halographie est-elle l'étude des sels.) Logiquement, puisque sel vient du latin *sal,* nous aurions dû dire aussi: le sal, d'autant plus que c'est cette syllabe que nous retrouvons dans la plupart des mots dérivés de sel. Pourquoi un *e* a-t-il remplacé le *a*? Il s'agit simplement d'une question de phonétique dialectale. Ce qui va amener non seulement *sal* à faire sel, mais aussi *sau*! Comme dans saupoudrer, sauner, saunière (la boîte à sel), saumure et dans le nom d'aliments salés comme la sauce, le saupiquet et la saucisse. Il s'agit d'un héritage des tout débuts du français. Henriette Walter, dans *Le français dans tous les sens,* nous l'explique bien:

SAUCE

> «... il faut tout d'abord savoir que la consonne l ne se prononçait pas en latin, puis en ancien français, comme elle se prononce aujourd'hui. On peut se faire une idée de cette ancienne prononciation en écoutant un Portugais prononcer le nom de son pays, le Portuga*l*. On y perçoit, après le *l*, comme un écho vocalique proche de la voyelle que nous écrivons *ou* [...]
>
> «À l'époque de la formation de la langue française, l'articulation du *l* restait devant une voyelle à peine teintée de la coloration *ou,* tandis que, devant une consonne de la même syllabe, elle aboutissait au son qui commence le mot *oui* en français (le même son qui termine le mot *cow* en anglais ou le mot *Blau* en allemand).»

Ainsi, les mots français dérivés du latin *salsus*: salé obéiront-ils à cette règle, et nous prononcerons par exemple *saousse* un mot que nous écrivions encore au douzième siècle «salse» avant de lui donner la forme «sause», «sausse» puis «sauce». C'est pour la même raison que *mava* a donné mauve, que *saltare* a donné sauter ou, pour reprendre les exemples de Mme Walter, que *alba* a fait aube, *talpa*, taupe et que le pluriel des mots en *al,* à l'époque où le s du pluriel était sonore, s'entendait *aous*. Nous avons fini par ne plus en prononcer que le son *o*. Et c'est pour cela que les «chevals», pour ne nommer que ces «anim*aous*», sont devenus des «chevaux».

Dans le concret, l'aliment qui a été salé a un goût relevé, accentué, légèrement piquant. Au figuré, salé garde ce sens de piquant, comme «pimenté», «poivré» ou «épicé». On l'a appliqué tout d'abord à des personnes, puis à leur discours, avec le

40

◆

sens de spirituel; plus tard, et aujourd'hui encore, salé va plutôt dans le sens de grivois, voire de grossier et de licencieux. Il y a de l'excès alors. Et c'est l'excès qu'on traduit quand on parle d'une note salée au restaurant ou d'une punition salée.

Insipide!

FADEUR

Il faut qu'un aliment soit bon ou mauvais: on le mangera ou on le jettera. Mais l'expérience la plus frustrante, dans le domaine de la saveur, c'est certainement son absence, l'insipidité. La fadeur. Le mot est plus lourd de sens qu'il n'en donne l'impression. Il y a sous fade de la fatuité. Et la fatuité, au premier chef (puisque venant du latin *fatuus*), c'est de l'imbécillité, de la sottise. D'où le fada et la fadaise. En somme, fatuité et fadeur sont les résultats d'un manque de qualité, de personnalité. Au Moyen-Âge, fade s'appliquait aussi à ce qui manquait de couleur ou de vigueur, à ce qui était dépouillé de caractère. En somme, est fade ce qui manque de piquant, d'esprit, de sel. Manger fade, c'est manger triste.

*   *   *

Faim versus Appétit

La faim, ça n'est vraiment pas drôle. Ça crie. Ça vous tenaille, ça vous fait crever, ça vous creuse, ça vous ravale au stade animal. Et qu'il y ait ou non à manger, quand la faim surgit, elle doit, comme la douleur, être impérativement calmée. Peu importe en fait le goût de l'aliment ou la difficulté de se le procurer.

Mais l'appétit! Voilà bien autre chose. Plus question de besoin, mais de plaisir! On pourrait aller jusqu'à dire que l'appétit et la faim s'opposent. Le premier se déclenche à la vue, à l'odeur, à la seule pensée même d'un aliment; c'est en fait une tentation dans tout ce que le mot comporte de désir teinté de péché mignon. La faim, au contraire, est triste, débilitante, dangereuse dans ses excès. On ne la souhaite à personne, alors que fusent d'un côté de la table à l'autre de joyeux «Bon appétit!» La faim mène à la mort; l'appétit est un hymne à la vie.

Quand on a vraiment faim, on saute sur tout ce qui se trouve à portée de la main, on dévalise le frigo sans prendre le temps de choisir. Mais si on est en appétit, on se l'excitera

41

♦

davantage: on fera durer la préparation du repas, on agencera les accessoires, les couleurs et les éclairages, on humera, on goûtera, on savourera.

Les ailes d'Alexandre Dumas

APPÉTIT

Le mot appétit vient du latin *petere,* qui comportait plusieurs sens. Entre autres: chercher à atteindre et demander. Ce sont ces idées qu'on va trouver aussi sous des mots de la même famille, comme pétition ou impétueux. En fait, si on remonte encore plus loin, on arrivera à la racine *pete*, c'est-à-dire «s'élancer vers…», comme dans le mot grec *pteron*: aile, qui nous donnera en français coléoptère et les noms de certaines autres bêtes volantes.

PÉTITION
IMPÉTUEUX

De sorte qu'on peut oser affirmer que l'appétit n'est pas qu'un simple désir des plaisirs terrestres, mais qu'il donne des ailes, un élan impétueux vers les hauteurs célestes de la gastronomie!

Alexandre Dumas, dont il paraît que la fourchette avait autant de talent que la plume, distinguait trois sortes d'appétits. Laissons-lui la parole. Il y a d'abord… «celui que l'on éprouve à jeun, sensation impérieuse qui ne chicane pas avec les mets et qui nous fait venir l'eau à la bouche à l'aspect d'un bon ragoût; […] le second, celui que l'on ressent lorsque s'étant mis à table sans faim on a déjà goûté d'un plat succulent, et qui consacre le proverbe: «L'appétit vient en mangeant»; […] le troisième appétit est celui qu'excite un mets délicieux qui paraît à la fin d'un repas, lorsque, l'estomac satisfait, les convives sans regret allaient quitter la table.»

À dire vrai, les descriptions de Dumas — il me le pardonnera — pourraient aussi convenir à la gourmandise…

Désir et plaisir

Au Moyen-Âge, le mot appétit existait déjà, mais il avait le sens de désir en général et l'adjectif ap(p)étitif, aujourd'hui spécialisé, équivalait alors à appétissant dans son sens le plus large. Ce n'est qu'au dix-septième siècle qu'appétit s'est appliqué au désir alimentaire. À la même époque, existait le verbe appéter, pour exprimer l'action de susciter l'appétit. Qu'on peut rapprocher du régionalisme québécois être appétissé, relevé par Léandre Bergeron, et qui se dirait encore pour traduire le fait d'être en appétit.

APÉRITIF

On donne le nom d'appétits, au pluriel, à certaines herbes, de la famille de l'ail en particulier, comme la ciboulette, réputées apéritives. C'est-à-dire propres à ouvrir l'appétit. Le mot apéritif est de la famille d'ouvrir, pas de celle d'appétit, même si les deux mots sont souvent en rapport. De même, appât et appas, qui ont de bien beaux airs de famille avec appétit aussi bien par la forme que par le sens, lui sont en réalité étrangers. Ils sont apparentés à repas.

Mais appétit est encore aujourd'hui lié à l'instinct, à la recherche d'un plaisir. Ainsi, le fameux «L'appétit vient en mangeant» n'a pas que son sens propre. Il s'emploie aussi au figuré. Il s'applique par exemple au désir de biens matériels, de succès. Avoir bon appétit, ouvrir l'appétit ou rester sur son appétit, se mettre en appétit, sont autant d'expressions utilisables aux deux niveaux. Comme faim et soif, d'ailleurs, appétit peut être synonyme de recherche, d'envie, d'aspiration. Et de désir sexuel. On dit couramment appétissante pour parler d'une personne qui suscite le désir sexuel. Et puis les langages scientifique et philosophique emploient des dérivés d'appétit pour traiter de sujets bien différents de l'alimentation. On verra appétence ou appétition pour décrire des symptômes et des maladies ou des phénomènes psychologiques par exemple.

SALIVE

Pour dire l'appétit, nous choisirons parfois de décrire un phénomène physiologique. Comme mettre l'eau à la bouche, autrement dit faire saliver (le mot salive est parent de sel).

Les délices de la séduction

ALLÉCHER

Mettre quelqu'un en appétit, c'est aussi l'allécher ou l'affriander. Quoique allécher ait l'air de contenir lécher (ce serait tout à fait logique, au demeurant), les deux mots ne sont pas du tout de la même lignée, le premier venant du latin, le second du germanique. Mais allécher, cependant, est un cousin de délice. En latin, *allectare,* c'était inviter, attirer. Le mot venait d'un ancêtre, *lax*: la ruse, la séduction, et s'est transformé au cours du temps en *allecticare*. Dans la même famille, un autre mot signifiait: détourner par des séductions. C'était *delicere* puis *delectare*. On voit bien alors d'où nous viennent

DÉLICIEUX

des mots comme allécher, délices et délicieux, délicat, délec-

43

◆

DÉLECTER
DÉLICAT
AFFRIANDER
AFFRIOLER

FRIANDISE

table, délecter et délectation. Allécher, c'est donc vraiment mettre en appétit, en rendant séduisant l'objet du désir.

Dans affriander, friand et friandise, tout comme dans affrioler et affriolant, il ne s'agit plus de séduction! Puisque ces mots viennent de... frire, un mot d'origine latine et peut-être onomatopéique, qui avait aussi donné en ancien français friole: frire puis être friand, et friolerie: une friandise. Est-ce que affriander et affrioler sont passés de la poêle à frire à l'excitation par le chemin de la métaphore «faire griller d'envie», comme le disent la plupart des dictionnaires étymologiques, ou n'y aurait-il pas là-dessous quelque odeur titillante? Quoi de plus stimulant pour l'appétit, en effet, que l'odeur exhalée par les mets que l'on apprête?

L'appétit est le meilleur assaisonnement, dit un proverbe.

Les Spartiates, on le sait, n'étaient pas renommés pour leur fantaisie. Leur vie quotidienne était réglée par une discipline extrêmement sévère (spartiate, quoi!)
Aussi leur cuisine leur ressemblait-elle. Leur plat national était le brouet noir, c'est-à-dire une bouillie grossière de céréales. Pourtant, ils en mangeaient avec appétit.
Un jour, Denys, tyran de Sicile, voulut y goûter et le déclara infect. Il demanda donc au cuisinier pourquoi son brouet était si mauvais. Le cuisinier ne parut pas étonné de la question et répondit que cela était bien normal, puisqu'il y manquait l'assaisonnement.
— Lequel? interrogea Denys.
Et le cuisinier de répondre:
— La fatigue de la chasse, la course au bord de l'Eurotas, la faim et la soif.

D'après un récit de PLUTARQUE,
cité dans le *Larousse Gastronomique,* Librairie Larousse, Paris, 1960.

Les parfums apéritifs

Une odeur agréable est une bouffée de plaisir. Combien de nos beaux souvenirs sont parfumés de délicieuses odeurs de cuisine! Ragoût familial des fins de jours d'hiver, dinde rôtie d'un 1er janvier, brioche chaude d'un dimanche matin, chocolat des œufs de Pâques, truite grillée d'un retour de pêche...

«Ventre affamé n'a pas d'oreilles, mais il a un sacré nez.»
BORIS VIAN

Si nous avons pris la peine de créer des noms spécifiques pour dire les odeurs alimentaires, c'est qu'elles étaient importantes. Ne transforment-elles pas la faim nécessiteuse en appétif festif? Dites fumet et voilà des chairs chaudes; bouquet et voilà des fruits mûrs et des terres humides; arôme et voilà des champs, des herbes et des grains.

FUMET

Ce que dégagent les viandes qui cuisent, c'est le fumet. De fumer, tout simplement. C'est un mot apparu au seizième siècle. Avant lui, l'ancien français employait fum, qui désignait

PARFUM

aussi bien de la fumée que des vapeurs ou du parfum. C'est ce vieux mot qu'on a gardé dans parfum. On l'avait pris du latin *fumus*: fumée. On emploie parfois fumet pour nommer l'odeur des bêtes sauvages, plus particulièrement l'odeur des lieux qu'elles habitent, ravage de l'orignal aussi bien que cage du lion. Vous verrez peut-être aussi ce mot attribué à l'odeur d'un vin. Mais nous lui préférons le plus souvent bouquet. Il y a sous le mot fumet de la vapeur et de la chaleur, un appel au ventre et au chasseur qui y sommeille.

BOUQUET

C'est par analogie avec l'odeur qu'exhale un bouquet de fleurs que nous avons nommé bouquet l'odeur d'un vin. Il s'agit d'un mot hérité du germanique *bosk,* devenu *busch* en allemand, *bush* en anglais, bois en français. Le mot germanique a supplanté les latins *silva* et *lignum*. On l'avait latinisé en *boscus* au dizième siècle, ce qui lui donnera dans les dialectes picard et normand des formes comme boucet ou bou-

BOIS
BOUCHON

chet. Peu à peu naîtront bois, bosquet, buisson, bûcheron (qui se disait boscheron), bocage et même bouchon.

En moyen français, on se servait du verbe bouqueter qui signifiait orner de bouquets sculptés. Il est aujourd'hui disparu, mais nous avons gardé son participe passé en le réservant à l'odeur. Un vin bouqueté, c'est celui qui offre une qualité olfactive intéressante, florale ou fruitée, par exemple.

Par analogie, on emploiera aussi bouquet pour parler du parfum d'une boisson autre que le vin, liqueur ou eau-de-vie. En fait, bouquet fait appel à des odeurs d'humus, de sous-bois, de sucs et de moûts.

ARÔME
AROMATE

Le latin avait emprunté au grec le mot *aroma*. Nous en avons fait d'abord aromate puis arôme. (L'accent circonflexe d'arôme est assez récent et réfère à l'origine grecque du mot.)

Les aromates, ce sont ces herbes parfumées qui embaument le jardin et la maison; de l'anis à la sauge, du basilic à la sarriette, du romarin ou du gingembre à la violette, de la muscade à l'angélique... Aussi arôme est-il attribué aux odeurs d'essences végétales plus particulièrement. Celles du café, des tisanes, du poivre, des salades odorantes, des préparations aux fines herbes.

Vous avez dit «flaveur»?

«Ça sentait les œufs. Ça sent toujours les œufs quand j'ai trop faim, et les oreilles de Christ aussi, et la graisse des frites...»
VICTOR-LÉVY BEAULIEU, *Satan Belhumeur,* Vlb éditeur, Montréal, 1981, p. 65.

Toutes les odeurs de cuisine ne sont pas agréables (oh! les relents de navet refroidi!). Mais alors, elles vous coupent l'appétit. L'ail, des fromages, des poissons, des légumes cuits à l'odeur trop caractérisée, perdent à cause d'elle bien des amateurs, mais gagnent des adeptes plus fidèles. Car le lien est très étroit entre l'odorat et le goût, au point que les deux perceptions se confondent parfois. On a récemment nommé cette sensation particulière provoquée dans notre cerveau par la conjugaison odeur et goût d'un aliment. Il s'agit de la

FLAVEUR

«flaveur», francisation de l'anglais *flavor,* apparue, dans le langage scientifique, en 1970. Il s'agit d'un terme spécialisé ou littéraire.

Dans la vie courante, il y a belle lurette qu'on a compris que l'arôme et le goût vont de pair! Aux douzième et treizième siècles, des mots comme *savorer* et *savorant, savorable* et *savori* se rapportaient aux odeurs tout autant qu'aux goûts, pourvu qu'ils soient agréables. Dans le dictionnaire du parler québécois de Bergeron, on trouve embaumer (odeur) avec le sens d'assaisonner (goût). Et le «parfum» d'une glace, d'une liqueur, ce n'est pas que ce qu'elles sentent, c'est surtout ce qu'elles goûtent.

SI ÇA SENT BON, ÇA GOÛTE MEILLEUR...

«... franc, séduisant et parfaitement naturel: l'arôme de truffe. Il s'agit d'un produit extraordinaire, sans aucun ajout artificiel, concentrant les parfums de la truffe dans de l'huile de tournesol et 10 p. 100 d'alcool. Vous le versez, au compte-gouttes, dans les vinaigrettes, les sauces, sur les œufs, les champignons, les grillades, les fruits de mer et tout ce que suggère l'imagination...: un miracle.»

«Truffe au compte-goutte», La sélection Gault-Millau du mois,
Le Point, 28 mai 1989, p. 95.

Chapitre 2

Mangez,
mangeurs!
Buvez,
buveurs!

DIS-MOI POURQUOI TU MANGES

Faim et soif sont des signaux que lance le corps pour dire: «Gardez-moi en vie.» Manger et vivre sont donc, à la limite, des réalités jumelles. Manger, c'est vivre. La raison première de tout travail n'est-elle pas justement de trouver à manger? Et si, comme espèce animale, l'humanité existe encore, c'est qu'elle a réussi à vaincre famines et disettes. Encore aujourd'hui, nous disons de notre travail qu'il est notre gagne-pain; qu'il sert à faire bouillir la marmite, à mettre du beurre dans les épinards, à gagner son steak ou son bifteck. Il était donc logique que le français, comme le latin avant lui, fasse dériver du mot vie les mots pour désigner la nourriture.

D'abord survivre

VIANDE

Le premier mot fut viande. Car pendant très longtemps, du onzième au seizième, même encore au dix-septième siècle, viande (du latin *vivenda*: qui entretient la vie) s'est dit pour toute nourriture, tout aliment comestible. Furetière dans son célèbre dictionnaire ou Mme de Sévigné, entre autres, l'emploient en ce sens. Si viande était la nourriture en général,

CHAIR

on disait chair pour nommer ce que nous appelons viande aujourd'hui. Chair vient aussi du latin: *caro*. Le mot a hésité au début entre les formes charn, char, car, qu'on retrouve dans ses dérivés comme charnier ou carné.

VIANDIER

Un viandier, c'était celui qui procurait la nourriture et, par extension, qui faisait preuve de générosité et d'hospitalité. Vers 1380, Guillaume Tirel dit Taillevent intitule son livre de cuisine, qui traite pourtant de toutes sortes d'aliments, *Le Viandier*.

(Chair prête facilement à calembour, non seulement à cause de son double sens [viande/corps humain], mais aussi à cause de son homonymie avec chère: repas.)

Ce sens d'aliment en général qu'avait d'abord viande est resté jusqu'à nos jours dans la langue cynégétique. D'une bête qui pâture, on dira qu'elle viande; et ce qu'elle viande, c'est le viandis. La spécialisation de viande dans son sens de chair ne date donc que du dix-huitième siècle à peu près.

VIVRES

Un siècle après la disparition du mot viande, on voit apparaître le mot vivres, qui exprime peut-être avec plus de force encore le lien entre la nourriture et la vie, puisqu'il ne fait que substantiver le verbe vivre, présent en français depuis le dixième siècle. De vivres dérive l'adjectif vivrier, comme dans cultures vivrières, c'est-à-dire cultures d'aliments comestibles.

VIVRIER

En français d'Afrique, on dit «les vivriers» pour désigner les produits des cultures vivrières.

VICTUAILLES
RAVITAILLER

Toujours à partir de vie, le douzième siècle verra naître vitaille qui, après être passé par victualle et victaille, donnera au seizième siècle le mot victuailles. De vitaille, on avait aussi fait avitailler, puis ravitailler que nous employons encore.

On fait son marché

DENRÉE

Victuailles implique donc l'idée de provision, d'achat. Comme denrée. Il y a du commerce là-dessous. Le mot, en effet, est né de denier et de dix avant lui. Car le denier valait dix as. Au cours des époques, sa valeur a beaucoup fluctué, mais ce qu'on pouvait acheter avec un denier, c'était une denerée, puis une denrée. Il s'agissait donc d'une quantité. Exactement comme si, au comptoir des aliments en vrac, on demandait une dollarée (ou, en Europe, une franchée) de basilic ou de noix ou de fromage. Mais nous n'avons pas ces mots-là et nous achetons plus généralement au poids. Dès le treizième siècle, la denrée s'est appliquée uniquement aux marchandises nécessaires à l'alimentation des hommes et du bétail, et sous sa forme plurielle.

On se fait les dents

COMESTIBLES

Ce qui se mange est comestible. Le mot existait au quatorzième siècle et, au dix-huitième, on s'est mis à l'employer comme nom. Les comestibles, c'étaient les denrées. On connaît l'histoire de ce mot depuis sa racine indo-européenne, c'est-à-dire prélatine et prégrecque, *ed,* qui signifiait mâcher. Les Grecs vont former avec elle *odontos* qui nous donnera en fran-

51
◆

DENT

çais odontologie: étude et traitement des dents. En latin, elle se retrouvera dans *dens, dentis,* dont nous ferons dent, et dans le verbe *edo*: je mange. L'infinitif de *edo*, c'était *esse* ou *edere*; renforcé, il devenait *comesse* ou *comedere,* c'est-à-dire non seulement manger, mais manger complètement. Les Latins employaient aussi *edo* comme nom, et c'était un glouton. Ils avaient *commissatio,* la ripaille, l'orgie où l'on mangeait à se rendre malade. Voilà donc d'où nous vient comestible, qui porte très profondément en lui l'idée de mastication, et celle de plaisir. Un aliment comestible, c'est donc au fond celui qu'on peut dévorer à belles dents!

DES COUSINS DE COMESTIBLE

Le latin *edere*: manger, nous a donné aussi le mot obèse. Littéralement, *l'ob-esus,* c'est celui qui a bien mangé.
Quant à *comedere*: manger entièrement, il avait donné *comedo*: le mangeur. Récemment (1855), nous en avons fait… comédon!

Si on mange d'abord pour survivre, on mange ensuite pour grandir, au propre comme au figuré. Ainsi, sous le mot nourrir, il y aura, tout au long des siècles, alternance et parfois cohabitation des deux sens d'éduquer et de donner à manger.

Croissez…!

NOURRI-TURE

Nourriture, emprunté très anciennement au latin, comporte d'abord, de par sa racine prélatine, l'idée d'allaitement. Car nourriture a longtemps désigné l'action plutôt que la chose. Dès le onzième siècle, on lui ajoute le sens d'éducation, qui ne se perdra qu'au dix-septième. Mais qui subsiste encore au figuré, dans des locutions comme «nourriture spirituelle».

NOURRICE

NURSE

Les deux idées alternent aussi dans l'emploi du mot nourrice. La nourrice, c'est toujours, en français, celle qui nourrit de son lait. La langue anglaise en fera *nurse*. Et nous reprendrons le mot sous sa forme anglaise: la nurse, au dix-neuvième siècle, cette fois pour désigner la gouvernante, la responsable des enfants, en somme l'éducatrice.

Le corps machine

ALIMENT

Aliment, lui, naît avec le sens de ce qui sert à faire grandir. Sa racine, *al*, est très vieille et donnera par le latin toute la famille de haut, de altitude à exaltation, dans laquelle se trouvent aussi des mots comme adolescent: celui qui est en train de grandir, et adulte: celui qui a fini de grandir. Cette idée de croissance, de mouvement, nous la reprenons aujourd'hui quand nous parlons de l'alimentation d'une machine. Alimenter, c'est donc pourvoir au fonctionnement. C'est fournir du combustible; un vieux synonyme d'aliment, fourniment, traduisait bien ce concept. On dit aliment complet, aliment naturel, mais pas nourriture complète ni nourriture naturelle. Si nous parlons de nourriture saine, nous faisons appel à la fraîcheur; si nous parlons d'aliment sain, nous faisons référence à la santé. La nutrition, c'est le processus physiologique; l'alimentation, le processus conscient.

ADOLES-
CENT
ADULTE

NUTRITION

*   *   *

Cette idée de la grandeur, tant physique que morale, est profondément ancrée dans notre conception de ce que doit être un être humain. La verticalité de sa colonne vertébrale ne distingue-t-elle pas d'ailleurs l'Homme de l'animal? Notre langage est truffé d'expressions associant la hauteur avec la dignité humaine. Nous «élevons» nos enfants; à l'âge adulte, nous sommes de «grandes personnes»; un être supérieur a de la «stature», c'est «un grand personnage». La grandeur, c'est aussi la puissance et la force. «Garder la tête haute», «se tenir debout»: voilà le général bien droit au milieu de ses troupes, «dominant» de tout son courage l'adversaire et sa mitraille; voilà le capitaine, debout sur le pont, «dressé» contre la tempête; le torero aux reins cambrés, la belle au port de reine, l'écolier qui défie son maître! L'esclave, la victime, l'adorateur, l'ouaille s'agenouillent. La honte courbe la tête, la vieillesse arrondit les épaules, la peur recroqueville le corps, la maladie nous alite, la mort nous terrasse.

Une personne saine est une personne debout. Il lui sera donc indispensable de se restaurer ou de se sustenter régulièrement. C'est-à-dire de se remettre ou de se maintenir en équilibre.

Le corps cathédrale

À l'origine de restaurer, il y a la syllabe *sta* dont la valeur est celle d'être debout. Les Grecs et les Latins, à partir de cette syllabe, ont forgé des dizaines de mots signifiant stabilité, station debout, remise en état, bref équilibre, au propre comme au figuré. Pensons à état, étage, stabilité, persistance, à tout ce qui est stationné, restitué, institué, constitué, instauré, statufié, constaté. Sous tous ces mots se dessine l'équilibre.

SE
RESTAURER

Se restaurer, c'est donc se remettre en état de fonctionner, en état de conserver ses caractéristiques. Comme on restaure une cathédrale ou une coutume. Se restaurer permet de retrouver sa beauté et son caractère d'origine. De se remettre sur pied.

SE
SUSTENTER

Quand à sustenter, il remonte au latin classique *sustinere,* exactement comme soutenir. Les deux mots ont simplement pris des chemins différents à un moment donné de l'histoire, sustenter se spécialisant dans le domaine de l'alimentation.

SOUTENIR

Nous employons régulièrement soutenir, d'ailleurs, comme synonyme de sustenter, ce dernier nous paraissant un peu vieillot ou prétentieux.

Se sustenter, c'est donc manger dans le but de trouver un soutien à ses forces physiques. Le corps est plus qu'une simple machine. C'est un édifice, dont la nourriture assurera la sustentation, c'est-à-dire le support, la base, l'équilibre, et la restauration, c'est-à-dire les réparations, la remise régulière en bon état.

COMMENT MANGEZ-VOUS, MANGEURS?

Ça va? Ça roule!

Mais manger n'est pas toujours perçu comme un geste aussi important. Au jour le jour, manger fait partie de la petite routine. On mange pour pouvoir continuer son train-train, on

BOULOTTER

boulotte, quoi! Dans boulotter, il y a boule. La boule qui roule doucement comme la vie qui se déroule sans incidents remarquables. Boulotter a aussi le sens de travailler, de vivoter, tout cela de façon détendue, sans stress. Finalement, c'est manger pour pouvoir continuer de rouler sa bosse; c'est de boulotter

54

◆ BOULOT

que vient boulot dans le sens de travail.

Un oiseau sans souci

BECQUETER
BÉQUILLER

On peut rapprocher cette image de celle de l'oiseau, qui va de-ci de-là à la recherche de nourriture sans y mettre de l'effort ni de l'élaboration. Comme lui, on pourra becqueter au lieu de manger. Ou béquiller, mot argotique vieilli que seule l'orthographe rattache à béquille, car il vient, comme becqueter, de bec. Boulotter, becqueter et béquiller ont en commun de présenter l'acte de se nourrir comme un geste tout à fait ordinaire et machinal. C'est ce que dit aussi «casser la graine».

Consommer branché

PHAGE

Chez les Grecs, manger se disait *phagein,* ce qui a donné en français phage, en préfixe ou en suffixe. Comme dans anthropophage: mangeur d'homme, ou géophage: mangeur de terre! Il y aurait, paraît-il, des tribus géophages sur tous les continents. La terre qu'elles avalent est généralement de l'argile, souvent préparée, lavée et cuite par leurs soins. Mais la terre ne nourrit pas son homme. Elle ne sert qu'à tromper sa faim. On mange de la terre en temps de famine. Si elle remplit l'estomac, elle ne contient absolument aucun élément nutritif et n'alimente donc pas le corps.

PHAGO-
CYTER

Comme pour beaucoup de mots français formés à partir de racines grecques, les mots contenant phage vont avoir une allure savante. Mais il arrive que les mots savants passent dans le langage populaire, et cela se constate de plus en plus à mesure que s'élargit l'information médiatique. Ainsi, les années quatre-vingt ont vu apparaître, suivant la mode «branchée», le mot phagocyter pour dire simplement... manger. En réalité, phagocyter est une création scientifique pour dire: détruire par phagocytose; et la phagocytose, c'est le mécanisme biologique par lequel certaines cellules animales englobent et digèrent des particules étrangères. C'est grâce à la phagocytose que notre organisme se défend des microbes, des virus ou se débarrasse des cellules mortes. Au figuré, le mot phagocyter a d'abord eu le sens de détruire complètement, puis, depuis quelques années, celui de manger et digérer.

CONSOM-
MER

Autrement dit, de consommer. Puisque consommer, c'est achever complètement une action, utiliser jusqu'au bout une matière en la détruisant au fur et à mesure.

55
♦

Jeux de mâchoires

MANGER

Si nous allons du côté des Latins, nous trouverons le verbe *mandere*. C'est de lui que vient manger, mais il signifiait plus précisément mâcher. De *mandere,* le latin impérial fera *manducare,* un jeu de mots qui voulait dire: jouer des mandibules, des mâchoires, exactement comme nous le disons encore aujourd'hui. En somme, manger c'est mâcher. En ajoutant des suffixes à manger, on obtient mangeard: gros mangeur; mangeotter: manger un tout petit peu; mangeaille: nourriture abondante mais ni de la première qualité ni du dernier raffinement!

MÂCHER
MASTIQUER

Mâcher et mastiquer nous viennent aussi du latin *masticare,* et ont eux aussi des dérivés, comme mâchouiller: mâcher sans avaler ou mâchonner: mâcher avec négligence et un assez rare mâchiller. Y a-t-il un rapport entre mastiquer et le mastic qui retient la vitre dans le châssis? Oui. Mais il est très lointain. Mastic est un héritage d'un mot grec qui désignait une gomme végétale: *mastikhê*. La souche commune au grec *mastikhê* et au latin *masticare* est très claire. Évidemment! Une gomme, ça se mâche.

Et encore l'anatomie...

Pour manger, on se sert des lèvres, de la langue, des dents, de la gorge. Et suivant le type d'aliments à manger, le temps dont on dispose, la force de l'appétit et même le tempérament du mangeur, les gestes différeront. Le langage a su nommer ces gestes et depuis très longtemps.

SUCER
SUCCULENT

Avec les lèvres, on peut sucer. Le mot, venu du latin, dérive de suc, comme succulent qui, avant de signifier «très bon», veut dire juteux. Sucer, c'est extraire le liquide d'un aliment. On suce une orange, une friandise congelée, par exemple. C'est une action synonyme de téter, mais dont le sens est plus large. Il est amusant de voir que le nom donné à une friandise à sucer diffère d'un côté et de l'autre de l'Atlantique.

SUCETTE
SUÇON

Ce qui est sucette en Europe est suçon en Amérique. Et c'est exactement l'inverse en ce qui concerne la marque laissée sur la peau par un baiser goulu! Comme quoi il peut être utile de réviser son manuel de vocabulaire avant de s'aventurer outre-Atlantique.

LÉCHER   Si on se sert de la langue, on léchera. Lécher nous est venu par le francique *lekkôn*. En ancien français, on employait aussi licher et c'est ce qu'écrivait Ronsard. Encore de nos jours, la langue populaire s'en sert à l'occasion. Ainsi, une lichette, c'est ou bien la petite quantité que peut prendre la langue en léchant ou bien un morceau de pain avec lequel on essuie la sauce dans son assiette. On va dire encore licher pour boire. Et licheux pour lécheur.

Au figuré, lécher transmet une idée de minutie un peu exagérée. Lécher, c'est fignoler. On employait autrefois la locution «à lèche-doigts» qui voulait dire: par toutes petites quantités.

Un goût de péché

Lécher, c'est aussi flatter. La lèche, le léchage, c'est de la flagornerie, un lécheur est un flatteur. Au Moyen-Âge, avec des orthographes légèrement différentes, on utilisait plusieurs dérivés de lécher auxquels on donnait, outre la notion de flatterie trompeuse, des nuances de sens touchant la gourmandise, le plaisir, le péché même: lécher, c'était être gourmand ou vivre dans la débauche; la léchure, le léchois, c'était l'amour du plaisir, la sensualité, la licence; un léchéor ou un lécherel, c'était un gourmand, mais aussi un débauché et même l'amant d'une femme mariée; quant à cette dernière, on pouvait la traiter de lécheresse, c'est-à-dire de pécheresse!

L'OURS MAL LÉCHÉ

«Comme un ours naissant n'a pieds ni mains, peau, poil ni tête: ce n'est qu'une pièce de chair, rude et informe. L'ourse, à force de lécher, la met en perfection des membres...»
C'est Rabelais qui met cette légende dans la bouche d'un de ses personnages (dans *Pantagruel,* Tiers livre, XLII). Mais depuis l'Antiquité, on croyait ferme que l'ourse façonnait ses petits à force coups de langue. Même Aristote le pensait, et Montaigne. Un ours mal léché, ce fut d'abord un enfant malformé. Puis un homme mal dégrossi, sans manières. On le dit aussi d'un grognon.

Lécher s'associe donc souvent à la délectation. On pense à l'expression «bon à s'en lécher les doigts» dont une certaine

POURLÉ-CHER

annonce télé nous a longtemps rebattu les oreilles. Non seulement lécher permet-il de faire durer le plaisir, mais encore on le prolongera en se pourléchant. En s'en pourléchant les babines! C'est-à-dire en continuant de recueillir sur ses lèvres le goût de l'objet du plaisir!

Un peu de blabla

BABINE

Disons, puisqu'on en parle, que babine désigne au propre les lèvres de certains animaux; et que le mot est né d'une syllabe expressive suggérant des mouvements de lèvres, exactement comme babouin ou babiller ou blabla. On remplace parfois babines par badigoinces. Voilà un mot qu'on jurerait de formation argotique ou plutôt récente. Or, il n'en est rien. Badigoinces serait une création de monsieur Rabelais. En tout cas, on le trouve dans *Pantagruel,* édition de 1532! Où Pantagruel fait le souhait d'avoir, accrochés au menton, les carillons de Rennes, de Poitiers, de Tours et de Cambrai pour entendre l'aubade que cela donnerait quand il se remuerait les «badigoinces». Cette fantaisie de Rabelais semble être inspirée tout à la fois de babine, de badin et de ce g omniprésent dans la gorge, la gueule, le gosier ou la gargamelle.

BADI-GOINCES

La dent dure

CROQUER CROC

Mais manger, c'est «avoir quelque chose à se mettre sous la dent», ou, comme on dit entre autres au Saguenay, «dans le creux de la grosse dent»!

Spontanément, on croirait que croquer appartient à la famille de croc. Mais non! Le croc — même s'il s'emploie pour dent —, c'est un crochet, une chose crochue qui permet d'accrocher et ce mot nous est venu du scandinave ancien *krôkr.* Alors que croquer se rattache à l'idée de petits coups répétés et fait partie d'un grand ensemble de mots qui contiennent les structures ch/p, ch/k ou cr/k. Comme le criquet — qui émet de petits sons aigus par à-coups —, la chiquenaude — petit coup sur le nez —, le craquement — petit bruit sec — ou l'achoppement venu du verbe médiéval chopper, c'est-à-dire: heurter du pied. Croquer, c'est donc «prendre une mordée» comme on peut entendre au Québec, arracher de petits morceaux en donnant de petits coups de dents.

MORCEAU
MORDRE

De petits morceaux? Morceau est de la famille latine de *mordere, morsus,* qui va nous donner mordre, amorce, remords. Car la dent — dure surtout! — est symbole de résistance, de force et d'agressivité: tous concepts bien clairs par exemple dans l'expression «y tenir mordicus», littéralement «s'y accrocher par les dents»! Morceau (on disait morsel au Moyen-Âge) est un diminutif de mors, qui désignait autrefois ce qu'on détachait en mordant. Quant à l'amorce, c'est l'appât, ce qui fait «mordre à l'hameçon». Et le remords, c'est ce qui ronge le cœur, ce qui vous le grignote sans fin.

RONGER

Ronger nous vient du verbe latin *rumigare*: ruminer. En somme, en passant du latin au français, le mot a pris... du mordant et changé d'agent animal: de la vache à l'écureuil!

GRUGER

En grugeant, on ne détache pas de morceau, on broie plutôt. Le mot vient du néerlandais (racine francique) *gruizen*: écraser. Mais ce qui est intéressant, c'est que ce *gruizen* soit dérivé de *gruis*: le grain, *granum* en latin. On perçoit donc très clairement que le néerlandais et le latin sont ici cousins, descendants tous deux d'un mot plus ancien, indo-européen. Au début, gruger avait le sens de moudre le grain, ce que nous appelons aujourd'hui égruger. Sous gruger se dessine donc un paysage hollandais où tournent activement les moulins sous la poussée du vent!

PILER

On peut ajouter ici piler, qui s'est employé du seizième au dix-neuvième siècle. Un gros mangeur pile. C'est-à-dire qu'il écrase, broie la nourriture. Pile nous vient du bas latin *pilare*. Son sens premier, c'est celui d'enfoncer (comme on enfonce un pilier, un pilotis dans la terre); puis vient celui de tasser et d'entasser. Ensuite, on en est arrivé au sens de réduire en poudre ou en pâte en donnant des coups. Ces trois sens de piler, convenons-en, se rattachent bien à l'image du gros mangeur. Piler pour manger ne se dit plus, mais on trouve encore piloche, pour molaire, qui en dériverait *(Dictionnaire du français non conventionnel).*

S'étouffer en avalant

Les dents ayant fait leur travail, couper, broyer et mâcher les aliments, il ne nous reste plus qu'à avaler. Sans confondre toutefois l'œsophage et la trachée-artère, appelée joliment parfois le «trou du dimanche», sous peine d'avaler de travers, comme ces Québécois qui «s'engottaient» en mangeant ou «s'engoulaient» en buvant, ou comme Pierre Magnan, l'auteur provençal de *L'amant du poivre d'âne,* qui «s'engavaïssait» avec de la brioche avalée trop vite.

AVALER

Avaler est venu de à-val (on écrit aujourd'hui aval). À-val, c'est-à-dire vers la vallée, vers le bas de la montagne, vers l'embouchure du cours d'eau, en descendant. Le mot est né il y a très très longtemps, puisqu'on le retrouve dans *La chanson de Roland,* au onzième siècle! Ce sens d'en bas pour val, on le perçoit encore dans ravaler, avalanche, vallée, ou à-vau-l'eau. Pour dire ici-bas (dans cette «vallée» de larmes...), on a employé au Moyen-Âge l'expression «çà aval» ou «ç'aval». Avaler, c'est donc proprement faire descendre, par le gosier.

GROS ET PETITS MANGEURS

Pour décrire le comportement normal du mangeur humain, il n'y a pas vraiment d'autre mot courant que manger. Mais quand ce comportement n'est plus ordinaire, alors le langage se fait descriptif et comparatif, s'inspirant particulièrement du monde animal: ours, loup, cochon; gueule, panse, babines, bec, jabot... Ainsi, le monde des mangeurs peut se diviser en deux catégories. D'une part, ceux qui dévorent, mangeant avidement et beaucoup. D'autre part, ceux qui picorent, mangeant du bout des dents et en toutes petites quantités.

La grande bouffe

Le gros mangeur mange goulûment, c'est-à-dire qu'il s'en met plein la gueule. Si en plus il le fait malproprement, il margouille, donc se salit la margoulette. Sa bouche est un puits sans fond: il engouffre; un four: il enfourne. Il engloutit la nourriture: c'est donc un glouton. Le mot existe depuis longtemps, d'abord sous les formes gloton puis glout. Comme le mot gloutonnerie, qu'on emploie dès le douzième siècle, concurremment avec gloutonnie qu'on entendra encore souvent au seizième, par exemple chez Ambroise Paré. Au dix-septième siècle, on donna le nom de glouton à un petit mammifère carnivore de l'ordre des mustélidés (comme la belette, le putois, le vison), qu'on appelle aussi goulu ou carcajou.

GLOUTON

MANGEZ, MANGEURS! BUVEZ, BUVEURS!

BOUFFER

Parce qu'il se dépêche de manger, pour sans doute pouvoir manger plus, cet individu-là a toujours la bouche et les joues pleines. D'où on dit qu'il bouffe. Car bouffer, ce fut d'abord souffler en faisant gonfler ses joues pour exprimer particulièrement sa mauvaise humeur, puis gonfler, comme une chemise ou une coiffure bouffantes, et ensuite seulement, au seizième siècle, par métaphore, manger beaucoup. À cette époque, on trouve aussi des mots comme bouffard et bouffeur pour désigner celui qui bouffe.

BOUSTI-FAILLE

Depuis quelques années, bouffer a même remplacé manger normalement dans la langue familière, peut-être à cause du succès, en 1973, du film *La grande bouffe* de Marco Ferreri. On se prépare maintenant une petite bouffe, on va bouffer entre amis, bref la bouffetance est dans toutes les bouches. À moins que ce ne soit la boustifaille, altération d'un ancien mot dialectal: bouffaille. Le mot a perdu, en quelque sorte, de son volume... et gagné en popularité au point que l'on peut entendre «bouffe-minute» comme traduction de *fast-food* et que le respectable magazine français *Le Point* n'a pas craint de titrer, en février 1989, dans sa sérieuse section Économie: «La bonne bouffe en danger».

Bouffer fait partie d'une famille de mots expressifs basés sur des onomatopées du genre baf, bof, bouf, brif, qui suggèrent la rondeur (bouffi), le souffle (bouffée; dans certaines régions, on a dit bouffer pour venter, chez les marins), mais aussi le ridicule (bouffon).

BÂFRER
BRIFFER

Dans le même esprit et la même famille que bouffer se trouvent bâfrer, qui signifie manger gloutonnement, excessivement, et briffer (ou briffetonner), employé avec les mêmes nuances que bouffer, ainsi que bafouiller, dont le premier sens était: parler la bouche pleine. Qui bouffe, bâfre, briffe ou briffetonne renvoie donc l'image d'un poussah poussif, mafflu (on a dit autrefois mafler pour manger beaucoup et le mot vient du néerlandais), tout ballonné, au bord de l'éclatement ou de l'apoplexie!

S'EMPIF-FRER
SE BOUR-RER

Celui-là s'est vraiment empiffré. Entendez qu'il s'est engraissé, puisque le mot empiffrer dérive de piffre, vieux mot dialectal pour dire: gros. Même idée que dans se bourrer, c'est-à-dire s'emplir comme on emplit de bourre un coussin. Un aliment bourratif, par le fait même, emplit l'estomac rapidement (au contraire, un aliment qui ne satisfait pas est dit creux).

L'association entre le gonflement et la grande quantité de nourriture se retrouve aussi dans plusieurs expressions: manger à se déboutonner ou à ventre déboutonné; manger à s'empanser ou à s'en faire crever la panse; s'emplir la panse; on a dit autrefois remplir son pourpoint, se remplir le jabot, s'en mettre plein la ceinture. C'est mathématique: quand on met les bouchées doubles — l'expression s'est appliquée à la nourriture avant de s'appliquer au travail —, c'est qu'on mange comme quatre.

Surtout ne rien laisser

TORTILLER
TORCHER
TORTORER

Si notre gros mangeur a vraiment tout mangé sans rien laisser, on dira qu'il a tortillé son repas. Ou qu'il a torché son assiette. Comme s'il l'avait tordue pour qu'elle lui livre jusqu'à la dernière gouttelette de sauce! Tortiller, torcher et tortorer (un autre mot populaire pour dire: manger — lisez San Antonio!) comportent, comme tordre, l'idée de «tour», d'un mouvement de rotation, comme celui qu'on imprime à un objet mou et imbibé pour en extraire le liquide. Mais aussi comme celui qu'on impose à des fibres végétales pour en faire un tapon compact servant à frotter pour nettoyer. Voilà ce qu'était le torchon pour... torcher. Torcher, tortiller, tortorer (celui-là est passé par le provençal) sous-tendent donc deux sens qui se complètent et se renforcent mutuellement: tordre jusqu'à la dernière goutte et nettoyer jusqu'à la dernière parcelle.

CHANCRER

De celui qui mange tout et tout le temps, la langue vulgaire dit qu'il chancre ou qu'il mange comme un chancre. Un chancre (le mot chancre est un doublet de cancer), c'est un ulcère. Un chancre ronge les chairs, les «dévore», s'en nourrit en quelque sorte. Cette comparaison, d'un humour douteux sinon tout à fait répugnant, viendrait du milieu des étudiants en médecine. L'expression daterait d'une cinquantaine d'années.

Avaler tout rond

FRIPER

Manger vite, c'est généralement avaler sans prendre le temps de mastiquer. C'est friper. Ou gober.

Avec friper, quoique cela puisse paraître étonnant, on parle chiffons avant de parler nourriture! Remontons jusqu'à l'ancien français. *Frape* puis *frepe* étaient des guenilles, des vêtements effilochés, effrangés, tout froissés, pendouillant. C'est pourquoi le verbe, friper, a déjà voulu dire, au treizième siècle, s'agiter, comme des guenilles molles. Puis chiffonner, et nous lui donnons encore ce sens. Le fripier vend donc de vieux vêtements et la fripouille, c'est d'abord celui qui est habillé de haillons. Ce pauvre gueux doit parfois voler pour survivre: voilà le fripon. Et ce qu'il vole, c'est la plupart du temps de la nourriture dont il se débarrasse le plus rapidement possible en l'avalant tout rond. Voilà le voleur déguenillé associé au mangeur. D'ailleurs, au seizième siècle, le mot fripon était très populaire et signifiait gourmand. Ce n'est qu'un peu plus tard qu'il prit le sens de voleur, tandis que friper et son diminutif friponner restaient dans l'esprit de la table pour désigner l'action d'avaler goulûment.

FRIPOUILLE

FRIPON

GOBER

Quant à gober, c'est un des rares mots que nous ayons hérités du gaulois, où bouche se disait *gobbo*. Ce *gobbo* nous donnera des mots comme gobet: une bouchée; gobette: un petit verre d'alcool; gobetter: bien manger et gobelotter: boire et fréquenter les tavernes, tous aujourd'hui disparus ou en voie de disparaître. Mais nous employons encore gobelet et dégobiller, une variante de dégober, un mot de l'Anjou. Dans la région de Lyon, on a gobille pour gorge. Et pour rester dans le joyeux esprit gaulois, nous avons fait se goberger, pour exprimer la participation active à un festin où ne manquent ni le boire ni le manger.

DÉGOBIL-LER

SE GOBER-GER

Le jeu de l'oie?

GAVER

Festin où l'on peut se gorger de bonnes choses. Se gaver.

Gaver descend d'une très ancienne racine méditerranéenne, probablement pré-indo-européenne! Chez les Picards, on disait *gave* pour désigner le jabot de la volaille. Chez les Provençaux, *gaba* était la gorge. Et on retrouve dans le parler canadien-français du siècle dernier le mot gavion pour dire gorge ou gosier. C'est de *gave* ou *gaba* que nous sont venus les mots joue et jabot (où le g s'est adouci en j), puis gouaille et même engouement. Le premier sens d'engouement, c'est engorgement. S'engouer, c'était s'étrangler en avalant.

JOUE

ENGOUE-MENT

Se gaver, c'est comme gaver une oie: se remplir de nourriture. La même image se retrouve dans un terme comme s'enfaler qui se dit, au sens propre, de la volaille dont le jabot

S'ENFALER

63
◆

est tout gonflé, et au sens figuré, de quelqu'un qui a trop mangé. S'enfaler est un régionalisme québécois, venu de falle (ou fale) qui désigne le jabot des oiseaux domestiques, puis la gorge humaine. Tous les petits Québécois savent que se promener l'hiver la falle à l'air, le manteau tout ouvert, c'est risquer d'attraper la mort.

ENCORE D'AUTRES FAÇONS DE MANGER

— manger comme un lapin (de façon désordonnée)
— se bourrer la face
— manger comme un défoncé
— se remplir le jabot
— engouler
— grailler
— cannibaliser
— faire honneur (au repas, à la table)
— morfaler (argot militaire; le morfal ou morfalou est un glouton)
— se caler les joues
— s'en donner par les babines
— s'en donner par les joues
— se caler les amygdales
— se lester
— se taper la cloche
— se tenir mieux à table qu'à cheval (manger beaucoup)

Bien que l'embonpoint et la suralimentation soient des phénomènes très Amérique-vingtième siècle, les gros mangeurs ont probablement toujours été très nombreux, puisque la langue a créé autant de mots pour les désigner. Bien plus, d'ailleurs, que pour nommer les petits mangeurs... Ainsi, en plus d'être bâfreur, lécheur, glouton, bouffeur, boustifailleur, briffaud, l'amateur de chère abondante sera peut-être un avale-tout-cru, un mâche-dru, un ogre, un goinfre, un safre... ou simplement un gourmand.

De bons diables?

«Il y a des moments où l'absence d'ogres se fait cruellement sentir.»
ALPHONSE ALLAIS

OGRE

L'ogre, c'est bien connu, est extrêmement vorace, avec une préférence marquée pour les petits enfants. Il n'en fait qu'une bouchée. Chez lui, manger tient plus de la cruauté que du plaisir. On donne deux explications de l'origine du mot. D'abord, on dit qu'ogre serait une déformation de Orcus, la divinité infernale romaine nommée aussi Dis ou Pluton et qui correspond à l'Hadès grec. Ensuite, on croit qu'ogre serait né d'un mot allemand désignant les Huns. Dans l'un et l'autre cas, il ressort que l'ogre, c'est une puissance diabolique, féroce et destructrice. Pourquoi est-il associé à la nourriture plutôt qu'au châtiment ou à la force guerrière? On dit qu'Attila, fléau de Dieu et maître des Huns, serait mort des suites d'une orgie. Là se tient peut-être l'explication...

CANNIBALE

On peut certainement rapprocher l'ogre du cannibale, tous deux dévorant leurs semblables. Ce sont les Espagnols qui transformèrent en *caribal* puis *canibal* un mot de la langue indigène des Antilles, *caribe,* qui voulait dire: hardi. C'est de ce nom que se désignaient les peuples caraïbes. Mais comme ils auraient été anthropophages, c'est cette caractéristique plutôt que leur hardiesse qui prit le dessus. Pour revenir à l'ogre, disons qu'il a, un temps, au dix-septième siècle, été classé dans le genre féminin!

Le sans-manières

GOINFRE
GOULAFRE

Le goinfre (et la goinfresse), ou comme on dit en Belgique et dans le nord-est de la France: le goulafre (on voit aussi gouliafre), s'apparente probablement au goujat. On ne sait pas trop d'où il a pu naître. Le goujat, c'est un valet de l'armée avant que d'être un homme sans manières ni beaucoup de morale. Comme quoi, si la réputation ne précède pas toujours son homme, elle peut lui survivre longtemps! Le mot goujat,

GOUJAT

lui, nous vient du Languedoc. Il aurait été inspiré de l'hébreu *goja*: servante chrétienne (on sait que les Israélites désignent les chrétiens sous le nom de *goyim*). En somme, le goinfre serait un goujat attablé. Quant à ses variantes régionales, gouliat, goulafre, galafre, gouliafre, elles présentent clairement

65
◆

leur ascendant goule (la gueule, autrefois). La finale en afre, un héritage germanique, se retrouve dans beaucoup de mots des régions du nord de la France.

Le fêtard

SAFRE

Comme dans safre. Le mot ne se trouve plus dans tous les dictionnaires récents, mais on l'entend encore dans certaines régions, au Québec entre autres. C'est un mot d'origine moyenne néerlandaise et si on l'emploie dans le sens de goulu, d'avide de nourriture — le safre n'est jamais complètement rassasié et craint de ne pas réussir à combler sa faim —, il comportait dans son sens premier l'idée de fête. Car le *schaffer* néerlandais, c'était l'invité à un festin, tout simplement. Et le safre médiéval, au treizième siècle, était aussi enjoué que gourmand.

Le mieux et le meilleur

GOURMAND

Mais qu'est-ce qu'un gourmand? C'était autrefois juste un gros mangeur. Aujourd'hui, le mot offre des nuances. Oui, le gourmand aime manger, il mangera peut-être beaucoup, mais pas n'importe quoi comme le feraient le goinfre ou le safre. Le gourmand sait distinguer le meilleur de l'ordinaire. Il n'est pas aussi connaisseur que le gourmet, cependant, pour qui seules comptent la qualité et la finesse du goût.

On ne sait pas d'où vient gourmand. Contrairement à ce qu'il semble, il n'a pas de parenté avec gourmet. Mais il en a avec gourmander, par le figuré; car réprimander quelqu'un, c'est en quelque sorte le «manger tout cru». Gourmander a déjà servi aussi à dire: se livrer à la gourmandise.

GOURMET

Quant au gourmet, il a beau se piquer d'être fin gastronome, son ancêtre, vieil Anglais, n'était qu'un valet d'écurie et se disait: *grom*. Quand il passa au français du quatorzième siècle, il resta valet, mais cette fois chez un marchand de vin, et prit indifféremment les noms de grome, gromet ou gormet. C'est sans doute sa connaissance des vins qui donna à son héritier, gourmet, sa réputation aujourd'hui pleinement acquise d'homme au goût sûr et raffiné à table. Il faut ajouter que

GROOM

l'ancêtre avait laissé un autre rejeton en Angleterre, *groom*. Par atavisme, sans doute, *groom* se fit aussi valet, mais dans un grand hôtel. Et il ne vint à la langue française, sans changer d'orthographe ni de profession, qu'au dix-septième siècle.

FRIAND

Avant gourmet, et encore au dix-neuvième siècle, on employait souvent le mot friand pour gourmand, mais dans un sens très proche de celui de gourmet. Alexandre Dumas les distingue clairement: «Le gourmand exige la quantité — le friand, la qualité.» Naturellement, à cette époque, la friandise était le défaut du friand comme la gourmandise celui du gourmand. Friandise avait déjà, et depuis deux bons siècles, son sens de bonbon, de sucrerie. Mais gourmandise pour désigner un petit plat affriolant (on emploie le plus souvent le pluriel) venait d'apparaître.

Au seizième siècle:
«Couardie, friandie, gourmandie, marchandie étaient en concurrence avec couardise, friandise, gourmandise, marchandise, même si ces mots en *ise* existaient depuis plusieurs siècles.»
ÉMOND HUGUET, *Les mots disparus ou vieillis,*
Librairie E. Droz, Paris, 1935.

DEUX MANGEURS DÉPEINTS PAR JEAN DE LA BRUYÈRE
(Extraits de *Les caractères ou les mœurs de ce siècle,* 1688)

GNATHON
«Non content de remplir à une table la première place, il occupe lui seul celle de deux autres; il oublie que le repas est pour lui et pour toute la compagnie; il se rend maître du plat, et fait son propre de chaque service; il ne s'attache à aucun des mets qu'il n'ait achevé d'essayer de tous; il voudrait pouvoir les savourer tous à la fois; il ne se sert à table que de ses mains; il manie les viandes, les remanie, démembre, déchire, et en use de manière qu'il faut que les conviés, s'ils veulent manger, mangent ses restes; il ne leur épargne aucune de ces malpropretés dégoûtantes capables d'ôter l'appétit aux plus affamés; le jus et les sauces lui dégouttent du menton et de la barbe; [...] il mange haut et avec grand bruit; il roule les yeux en mangeant, la table est pour lui un râtelier; il écure ses dents, et il continue à manger.»

CLITON
«Cliton n'a jamais eu de toute sa vie que deux affaires, qui est de dîner le matin et de souper le soir: il ne semble né que pour la digestion. Il n'a de même qu'un entretien: il dit les entrées qui ont été servies au dernier repas où il s'est trouvé; il dit combien il y a eu de

potages, et quels potages; il place ensuite le rôt et les entremets, il se souvient exactement de quels plats on a relevé le premier service; il n'oublie pas les hors-d'œuvre, le fruit et les assiettes; il nomme tous les vins et toutes les liqueurs dont il a bu, il possède le langage des cuisines autant qu'il peut s'étendre, et il me fait envie de manger à une bonne table où il ne soit point; il a surtout un palais sûr, qui ne prend point le change, et il ne s'est jamais vu exposé à l'horrible inconvénient de manger un mauvais ragoût ou de boire d'un vin médiocre. C'est un personnage illustre dans son genre, et qui a porté le talent de se bien nourrir jusqu'où il pouvait aller; on ne reverra plus un homme qui mange tant et qui mange si bien: aussi est-il l'arbitre des bons morceaux, et il n'est guère permis d'avoir du goût pour ce qu'il désapprouve. Mais il n'est plus, il s'est fait du moins porter à table jusqu'au dernier soupir: il donnait à manger le jour qu'il est mort. Quelque part où il soit, il mange; et, s'il revient au monde, c'est pour manger.»

* * *

Le gras et le maigre

Les gros mangeurs, les gargantuas aux repas pantagruéliques, ont souvent été perçus comme de joyeuses gens. Sans toujours tellement de tenue, plus souvent les mains dans les plats et la sauce au menton, soit, mais on aimait imaginer leur rire aussi rebondi que leur bedon.

EMBON-
POINT

Il faut dire qu'à plusieurs époques l'embonpoint a été considéré comme un signe de santé. C'est ce que dit le mot, d'ailleurs: embonpoint, c'est «en bon point», c'est-à-dire proprement «en bon état». Il n'y a pas si longtemps encore, on pouvait se faire accueillir, entre autres dans la campagne trifluvienne, avec un souriant: «T'as engraissé!» et cela voulait dire: «T'as bonne mine!»

Critère de beauté par conséquent. Les individus gras ont été recherchés pour l'agréable sensualité qu'ils dégageaient. Leur corps confortable semblait tout particulièrement destiné à l'amour et à la reproduction. Un gros homme était supposé puissant, une grosse femme était supposée fertile — plantureuse. On leur prêtait l'énergie et la force — fort est souvent synonyme de gros — physiques et morales, la générosité et la propension au bonheur.

Signe de richesse aussi. C'est pourquoi nous nous servons parfois des mêmes mots pour dire la richesse et l'embonpoint. Voici des exemples courants: avoir l'air prospère, profiter, s'engraisser, opulence. Il peut même y avoir synonymie entre gras ou gros et riche: une terre ou une nourriture riche, c'est une terre ou une nourriture grasse; le gros propriétaire, le gros commerçant, le gros capitaliste, la grosse héritière sont tous des gens riches.

Mais l'embonpoint n'a pas toujours ni partout été vu de façon aussi positive, comme l'attestent certaines injures ou certaines comparaisons: gros plein de soupe, gras comme un voleur ou comme un porc, gros-gras, gras-double. Et même gras comme un moine, un chantre ou un chanoine, qui transmettent sans détour une certaine idée que se faisait le peuple d'un clergé pas toujours ascétique!

GRAS
GROS

Le mot gras (du latin *crassus*) tient son g initial d'un croisement avec gros (du latin *grossus*). Les deux mots ayant en commun le sens d'épais. Gros s'emploie surtout pour les volumes et gras pour les substances.

CRASSE

Est grasse une substance ayant la consistance de la graisse. On aura deviné que crasse est de la même famille: la graisse, c'est salissant, collant, puant souvent. Gras, lui, a plutôt hérité, si l'on peut dire, des qualités de la graisse. Le gras, c'est onctueux, ça donne du goût, c'est essentiel à la santé (sous le nom de lipide, un mot d'origine grecque). Et le gras est d'autant plus apprécié aux époques où les prescriptions religieuses, quand ce n'est pas la pauvreté, l'interdisent.

Le gras alimentaire a surtout été d'origine animale. Aussi le vocabulaire l'a-t-il associé à la viande. Manger gras, c'est manger de la viande. Les jours gras ce sont ceux où la viande est permise par l'Église.

Inversement, les jours de jeûne seront appelés jours maigres. «Servir la table en maigre» se disait autrefois d'un repas où la viande était absente. Le *Grand Robert* fait remarquer que maigre ne donne pas le même sens à repas selon qu'il est placé avant ou après lui: un maigre repas est un repas peu abondant; un repas maigre est un repas sans viande.

MAIGRE

Maigre vient du latin *macer,* qui avait le même sens. En grec, maigre se disait *macros*: grand et long.

69

♦

C'est d'ailleurs à des objets longs que les expressions familières comparent les personnes maigres: clou, cure-dents, pic, perche, échalas déformé le plus souvent en échalote au Québec, etc. Est maigre non seulement ce qui n'est pas gras, ce qui manque de chair, mais aussi ce qui est peu abondant, stérile, peu important: un sujet, un salaire, un sol, un résultat.

Le portrait type traditionnel du maigre, c'est celui d'un être malheureux, malchanceux, pauvre, maladif; parfois aussi dur de cœur, sans humour, retors même. Bref, un être sans appétit et sans appétits, sans joie parce que dédaigneux de la chair et de la chère.

* * *

À petits coups de bec fin

PICORER

Qui n'a qu'un appétit d'oiseau (en fait, cette expression est née d'une erreur d'observation; car si l'oiseau n'absorbe qu'une toute petite quantité de nourriture à la fois, il avale chaque jour au moins la valeur de son poids!) ne peut que picorer. Ou bien, selon la région où il habite, picosser, pigrasser ou picocher. C'est-à-dire piquer, prendre par tous petits morceaux, les aliments dans son assiette. Toute la famille de piquer est d'origine expressive sinon onomatopéique. Le groupe p/k, qui se retrouve abondamment dans plusieurs langues européennes, se rattache à l'idée de petit coup donné à l'aide d'une pointe. Cela va, en français, de pic à picotement, de pioche à pivert, avec parfois la notion de voler et de vexer.

PIGNOCHER

Toujours il s'agit, pour le petit mangeur, de petits morceaux saisis à petits coups de fourchette et mangeottés du bout des dents. Il pignoche dans son assiette. On aurait dit, au seizième siècle, en moyen français, il épinoche, c'est-à-dire qu'il ne prend que des morceaux de la grosseur d'une épine. Et comme il n'a pas faim ou pas d'appétit, il «joue dans son assiette», il ne mastique pas franchement, il se contente de chipoter ou de grignoter.

CHIPOTER

Chipoter fait partie de la famille de choper, dont l'une des branches a donné naissance à croquer. Il faut remarquer que plusieurs mots exprimant l'idée de petits morceaux ou de petits coups ont aussi le sens de voler, de grappiller, de marchander pour l'obtention de petites choses, de quelques sous. Ainsi chipoter, choper, chicaner, piquer, croquer, gruger, chiper ou pinailler.

GRIGNOTER

Grignoter fait tout de suite penser à l'écureuil ou à la petite souris. C'est un geste de rongeur, un travail régulier qui semble demander beaucoup de concentration. Le grignoteur s'active, mâchoire tendue et lèvres plissées. Et c'est ce plissement des lèvres qui est sous le mot grignoter. Venu du francique *grignan,* grignoter est un diminutif de grigner, qui se disait au Moyen-Âge pour «plisser les lèvres en montrant les dents». C'est ce que fait le chat en colère. Peu à peu, le sens de grigner s'est étendu à «grincer des dents» d'une part, et d'autre part à «faire des plis, froncer». À la fin du douzième

GRIGNE

siècle, le sens s'est encore élargi. La grigne, c'est de la mauvaise humeur; le grignos, un grognon et même un violent. Grigner a peut-être influencé la formation de grincer ou de chagrin. Mais ce qui est intéressant, c'est de noter comment, à partir de l'observation d'un mouvement des lèvres, on a étendu le sens du mot jusqu'à désigner une humeur, puis une façon de manger.

Ce genre d'évolution d'un mot se fait tout doucement. Et les frontières entre les sens ne sont pas complètement franchies encore quand on dit qu'elle grignote d'une personne qui n'est pas heureuse de manger. Avec grignoter, au fond, on

FINE
BOUCHE

n'est pas loin d'une expression comme «faire la fine bouche», c'est-à-dire la petite bouche, ou le «bec fin», si on reprend l'image de l'oiseau, le *chichiou* dirait-on en provençal, bref le difficile qui plisse dédaigneusement les lèvres devant un aliment.

*   *   *

Les privations

Manger peu n'est pas toujours cependant une question de caprice. Les circonstances, les préceptes religieux, les avis médicaux nous invitent ou nous obligent à restreindre notre consommation d'aliments.

DISETTE

En temps de famine ou de disette, par exemple. Voilà un mot, disette, d'origine incertaine, qu'on rencontre à partir du treizième siècle. Il vient peut-être du grec *disekhtos*: bissextile... l'année bissextile étant considérée comme une année de malheur; on le trouve dans un dialecte médiéval, avec le même sens et sous une forme semblable: *dexeta*. On a aussi pensé qu'il viendrait du verbe dire, *dicere* en latin, dans son sens de demander (à manger). En temps de disette, comme en temps

FAMINE

de famine, les vivres manquent. Mais famine est plus fort. Pour donner un exemple, disons que la disette, ce serait une période de vaches maigres. La famine, ce serait plus de vaches du tout. En fait, disette exprime un manque, particulièrement d'aliments. Famine exprime la conséquence de ce manque: la faim avec, au bout, la mort.

JEÛNE

Le jeûne peut être aussi radical. Contrairement à famine ou à disette, il n'implique pas nécessairement des causes extérieures. Le mot latin *jejunus,* à l'origine de jeûne, signifiait non seulement à jeun, mais aussi maigre et pauvre. L'ancien français déjà avait jeûne, ainsi que jeunerie et jeunaison, aujourd'hui disparus; et il utilisait jeun, qui ne nous sert plus que dans la locution «à jeun», comme adjectif: un homme jeun. L'idée, sous jeûne, est celle de la privation, volontaire ou non.

ABSTINENCE

Privation aussi sous abstinence, mais avec implication de la volonté; l'abstinence suppose un certain choix. S'abstenir — littéralement: se tenir loin de... —, ce n'est pas se priver de tout, mais se priver de certaines choses. Jeûne est donc plus global qu'abstinence, il peut même aller jusqu'à la privation totale d'aliments. Jeûne et abstinence ont eu, à toutes les époques, leurs partisans et leurs adeptes. Plusieurs religions exigent de leurs fidèles qu'ils jeûnent à certaines périodes de l'année et qu'ils se privent d'aliments précis, des viandes le plus souvent.

Les musulmans, par exemple, jeûnent pendant un mois. C'est le ramadan, *ramadân,* neuvième mois de leur calendrier. Mais la prescription religieuse — sévère: ni nourriture ni boisson ni relations sexuelles — ne touche que la durée du jour, de l'aurore au crépuscule. Aussi les fidèles s'organisent-ils une vie nocturne que d'aucuns, non-musulmans sans doute, ont dû trouver bruyante, puisqu'on s'est mis, au siècle dernier, à dire

RAMDAM

en français, en le prononçant à l'arabe, ramdam pour tapage.

CARÊME

Chez les chrétiens, la période de jeûne et d'abstinence, c'est le carême. Dont le nom vient de la contraction de *quadragesima dies*: le quarantième jour avant la fête de Pâques. (On nomme aussi quadragésime le premier dimanche du carême.) Le début de la période de jeûne était appelé *quaresmentrant* au treizième siècle et on nommait *quaresme prenant* le carnaval précédant le carême et se terminant le mardi gras; plus tard, un carême-prenant sera aussi un masque et un déguisement de carnaval, exactement comme on dit un mardi-gras au Québec.

Du carême, que les chrétiens connaissent depuis belle lurette, l'acte décrétant officiellement son existence datant de l'an 136, la langue a conservé surtout la notion d'austérité. On dit encore «face de carême» de quelqu'un qui a l'air renfrogné, triste. D'un maigre, on dit qu'il est «long comme un carême» (le jeu de mots avec «long» est particulièrement intéressant). Au seizième siècle, un «amoureux de caresme», c'était celui — encore un beau jeu de mots — qui n'osait pas toucher à la chair! Pour le français des Antilles, le carême c'est aussi la saison sèche. Quant à «arriver comme mars en carême», c'est une expression qui a beaucoup évolué. En réalité, on disait «arriver comme marée en carême», donc tout à fait à propos, la marée apportant le poisson dont on devait bien se contenter durant cette période; puis, question de sonorité certainement, on s'est mis à dire comme «mars» en carême, donc inéluctablement, Pâques étant toujours célébré après l'équinoxe de printemps. Il semble qu'aujourd'hui, arriver comme mars en carême veuille dire plutôt: arriver mal, comme le carême qui n'est jamais le bienvenu.

QUELQUES FAÇONS DE DIRE: SE PASSER DE MANGER

— danser devant le buffet
— dîner — ou manger — par cœur
— passer en dessous de la table (par suite d'une punition ou d'un retard)
— bouder contre son ventre (par dépit)
— se frotter le ventre
— se brosser le ventre
— s'enfiler (ou bouffer) des briques (brique a signifié: miette jusqu'au XVIᵉ siècle)
— sauter un repas
— faire diète
— faire carême

Bien des enfants, prétextant la faim pour obtenir des sucreries entre les repas, se sont fait répondre:
— Si t'as faim, «mange ta main, garde l'autre pour demain; mange ton pied, garde l'autre pour danser!»

DIÈTE   La diététique pose elle aussi ses règles. Le mot existe en français depuis le seizième siècle, mais déjà les anciens Grecs connaissaient la *diaita*: la diète. Les Romains aussi, malgré leur réputation légendaire de boulimiques! Le mot diète comporte l'idée de privation. Le mot régime, l'idée de répartition. Louis-Paul Béguin, dans *Un homme et son langage,* nous explique la différence:

> «Mettre quelqu'un à la diète, c'est le priver de nourriture totale ou partielle. Le médecin peut mettre son malade à la diète si ce dernier a la grippe, par exemple. Mais s'il le met au régime, il entend qu'il suive certaines règles quantitatives et qualitatives concernant ses habitudes alimentaires. Le mot *diète* a signifié jadis ce que signifie aujourd'hui le mot *régime*... Certains produits sont dits «pauvres en calories», ou «à faible teneur en sucre». Ce sont des aliments de régime.»

RÉGIME   Le mot régime est apparenté à règle et à régularité: un régime est un programme, une conduite à suivre; à régir: d'où son sens politique; à régiment: voilà son petit côté disciplinaire et restrictif! Aujourd'hui, l'influence de l'anglais où diète (*diet*) a conservé le sens que nous lui donnions autrefois nous l'a fait reprendre comme synonyme de régime. Il faut dire qu'une diète sans sel, ça vaut bien un régime sans sel. Mais si nous donnons aux deux mots la même signification, nous finirons par en préférer un... Il semble que ce soit diète, ce temps-ci. Régime a tellement servi à toutes les sauces de l'amaigrissement que nous trouvons diète plus général, donc plus... discret. Plus médical aussi. Donc bien dans la tendance actuelle de la langue courante à intégrer le vocabulaire spécialisé.

Extraits du *Catéchisme catholique,* Édition canadienne, Québec, 1960.

50e leçon
LE JEÛNE
547- Que nous ordonne le cinquième commandement de l'Église?
     Le cinquième commandement nous ordonne de jeûner le mercredi des Cendres, le Vendredi saint et aux vigiles... de l'Immaculée-Conception et de Noël.

548- En quoi consiste le jeûne?

Le jeûne consiste à ne prendre qu'un seul repas complet par jour.

549- À quel moment pouvons-nous prendre notre repas complet un jour de jeûne?

Le midi ou le soir.

550- Quelle quantité de nourriture pouvons-nous prendre aux deux collations permises les jours de jeûne?

La quantité permise selon la coutume approuvée par l'évêque.

551- À quel âge commence l'obligation de jeûner?

À vingt et un ans accomplis.

552- À quel âge cesse l'obligation de jeûner?

À cinquante-neuf ans accomplis.

553- Quel péché commet celui qui, volontairement et sans raison grave, ne jeûne pas les jours de jeûne?

Celui qui, volontairement et sans raison grave, ne jeûne pas les jours de jeûne commet un péché mortel.

51e leçon

L'ABSTINENCE

554- Que nous ordonne le sixième commandement de l'Église?

Le sixième commandement de l'Église nous ordonne de nous priver d'aliments gras à certains jours de l'année.

555- Quels sont les aliments gras que l'Église catholique nous défend de manger les jours maigres?

La viande et le jus de viande.

556- À quel âge commence l'obligation de ne pas manger gras les jours maigres?

À sept ans accomplis.

557- Quel péché commet celui qui, volontairement et sans raison suffisante, mange gras un jour maigre?

Celui qui, volontairement et sans raison suffisante, mange gras un jour maigre commet un péché mortel.

558- Pourquoi l'Église catholique nous ordonne-t-elle de jeûner et de faire maigre à certains jours de l'année?

Pour que nous fassions pénitence.

...

La santé par la sobriété

«Quand les gourmands sont devenus sobres, ils vivent cent ans.»
VOLTAIRE

Diète ou pas, «la modération a bien meilleur goût». J'ignore si ce slogan de la Société des Alcools du Québec a eu l'effet escompté, mais son impact sur la langue est certain, puisqu'il est passé dans notre vocabulaire courant. Nouvel adage, il colle parfaitement aux principes d'une saine alimentation. Mais la modération avait déjà des noms: frugalité et tempérance. Le premier étant associé plutôt à la nourriture, le second aux boissons alcoolisées.

FRUGALITÉ

Un repas frugal, c'est un repas simple, peu abondant et ordinairement sans viande. Frugalité date du quatorzième siècle. Il s'agit d'un mot de formation savante, tiré directement du latin *frugalitas*: sobriété. À l'origine, en latin, on trouve le mot *frui, fructu,* dont le sens premier est celui de la jouissance d'un bien (c'est encore le sens de usufruit). Ce bien étant le plus souvent la terre cultivée. Ce qui donnera d'une part le

FRUIT
FROMENT

fruit et d'autre part le froment, c'est-à-dire le blé. Comme terme générique — fruits, légumes, céréales —, le latin fit *fruges,* d'où *frugalis:* frugal. Étymologiquement, être frugal, c'est donc se contenter en toute simplicité des aliments, crus ou à peine transformés, qu'on a soi-même cultivés. C'est ce que nous propose le végétalisme.

In medio stat virtus

On a fait de la tempérance une vertu. Éviter les excès, c'est s'assurer une bonne santé physique, mentale et morale. En société, la modération dans le comportement est la base des bonnes manières.

TEMPÉ-
RANCE

Tempérer, donc tempérance, vient du latin *temperare*: mélanger, puis adoucir, ramener à de justes proportions. Le sens du mot a évolué de l'action: mélanger, au résultat: modérer. Tempérer son vin, par exemple, c'est en atténuer la force en le coupant. Au figuré, on dit «mettre de l'eau dans son vin», et c'est s'adoucir, modérer son impatience, sa colère. La même idée se trouve dans les premiers sens du mot tempérament:

équilibre d'un mélange au propre, conduite mesurée au figuré. Ce qu'il est intéressant de constater, c'est que dans la famille de tempérer, ce qui semble au départ une perte s'avère un gain au bout du compte. Atténuer les choses les ramène à une plus juste proportion. C'est aussi le sens de modérer, dérivé de *modus*: la mesure. Et même de tremper.

Modérer

Tremper

Car tremper est un doublet de tempérer. Jusqu'au treizième siècle, d'ailleurs, on disait *temprer* — c'est presque tempérer — pour tremper. Avec tremper, on a aussi ce paradoxe affaiblir/renforcer. Si tremper son vin, comme on le tempérait tout à l'heure, l'adoucit, tremper le métal, par contre, le durcit. Aux quinzième et seizième siècles, la trempe, c'était aussi la force d'âme, la vigueur. C'est l'effet bien connu de la douche: en calmant les nerfs excédés ou les débordements émotifs, elle replace les esprits et revigore.

Mais il faut croire que la vertu elle-même peut avoir ses excès. Car la tempérance a parfois dépassé la modération: elle est allée jusqu'à l'abstinence. Au Québec, par exemple, les sociétés catholiques de tempérance, florissantes jusqu'aux années soixante, exigeaient la privation complète d'alcool. Les plus répandues de ces sociétés ont donné le nom de leurs augustes patrons à leurs membres; un homme était un «lacordaire», une femme, une «jeanne d'arc». Ils portaient un insigne distinctif. C'est pour cela qu'on disait, entre autres au Saguenay, de quelqu'un qui avait rompu son serment de tempérance, qu'il avait «cassé son bouton». Expression qui n'a de sens que pour qui connaît le contexte. Dans la même région, se décarêmer, c'était prendre le premier vrai repas après le Carême ou, par extension, un jeûne ou une période de privation.

AVALER N'IMPORTE QUOI

«Les êtres humains sont capables d'avaler à peu près tout ce qui n'aurait pas réussi à les avaler auparavant».

PETER FARB et GEORGE ARMELAGOS,
Anthropologie des coutumes alimentaires

Voici quelques expressions familières où on nous fait manger et boire toutes sortes de choses généralement pas comestibles! Vous trouverez d'autres expressions dans les tableaux à la fin du livre. Et vous en connaissez certainement d'autres encore. À vous de compléter!

EXPRESSION	SIGNIFICATION
Avaler des couleuvres	Subir des affronts
Avaler n'importe quoi	Tout croire avec naïveté
Avaler son acte de naissance	Mourir
Avaler des mouches	Garder la bouche ouverte
Avoir bouffé du lion	Être agressif, très actif
Avoir mangé de l'ours	Être grognon ou agressif
Avoir avalé sa langue	Refuser de parler, se taire
Avoir mangé de la bouillie	Bafouiller, mal prononcer
Avoir toute honte bue	Ne plus avoir honte de rien
Avoir avalé sa canne	Avoir une attitude guindée
Boire les paroles de quelqu'un	L'écouter passionnément
Bouffer du curé	Être anticlérical
Dévorer quelqu'un des yeux	Le regarder intensément
Dévorer un livre	Le lire avidement
Être gavé de compliments	En être comblé
Gober l'hameçon	Croire naïvement
Mâcher la besogne à quelqu'un	Lui préparer le travail
Manger une claque	Recevoir une gifle
Manger ses mots	Mal prononcer
Manger son prochain	Le calomnier
Manger ses lacets de bottine	S'énerver
Manger la claque	Subir un coup dur
Manger les pissenlits par la racine	Être mort et enterré
Se nourrir d'illusions	Manquer de réalisme
Se bouffer le nez	Se disputer
Se ronger les sangs	S'inquiéter

DIS-MOI CE QUE TU BOIS

Le latin, à partir de la racine indo-européenne *po,* c'est-à-dire boire, a fait deux verbes dont le français va se servir: *poto, potere* et *bibo, bibere.* Il ne faut pas être grand sorcier pour deviner alors l'origine de mots comme potable, boisson, breuvage, imbiber ou potion.

Poisons subtils et vertus particulières

POTABLE

Du côté de *potere,* les mots véhiculeront longtemps le sens d'un certain mystère, un petit goût de science et de magie. Potable, par exemple, a fait partie du langage des alchimistes jusqu'au dix-septième siècle. Puis il s'est développé dans le sens de ce qui peut être bu sans danger, comme aujourd'hui, quand on parle d'eau potable, cela suppose une certaine analyse scientifique, chimique. Parallèlement, potable a perdu, dans le langage familier, non seulement sa référence à la chimie quand on veut dire qu'une boisson n'est pas très bonne mais tout de même buvable, mais aussi sa référence à un liquide, puisqu'on peut aujourd'hui parler d'un film, d'un comportement, d'un objet potable. C'est-à-dire passable, acceptable sans plus. Comme, d'ailleurs, imbuvable a aussi le sens d'insupportable, sans référence à un liquide: si le film est mauvais, il sera «imbuvable».

POISON

Dans cette famille de *poto, potere,* on trouve les doublets poison et potion. Au début, ces deux mots s'appliquaient complètement aux liquides. Le premier, c'était un breuvage empoisonné; le second, c'était n'importe quelle boisson. Peu à peu, poison n'a conservé que son petit côté dangereux, de sorte qu'il peut être aussi bien solide que liquide ou gazeux, quand il ne désigne pas une insupportable personne! Potion, au contraire, s'est spécialisé. Il dégage aujourd'hui une odeur d'officine, puisqu'il s'emploie surtout en pharmacie.

POTION

BOIRE
BREUVAGE

Du côté de *bibo, bibere* va se créer l'infinitif beivre ou boivre, qui deviendra boire. Boivre, avec son v, nous indique bien la raison d'être de breuvage, qui s'est écrit beverage ou bovrage au douzième siècle. Le breuvage, à cette époque, c'était tout ce qui était propre à être bu; en somme il avait le sens qu'a de nos jours le mot boisson. L'anglais a pris *beverage* et lui a conservé son sens d'origine. Tandis que le français le

79
◆

spécialisait en lui donnant un peu le sens de potion, de boisson à vertu particulière. On parlera de breuvage s'il s'agit d'un remède, d'un poison liquide, d'un aphrodisiaque, d'une boisson composée à partir d'une recette mystérieuse ou douteuse. Au Québec, on a utilisé breuvage au sens de boisson, gardant boisson pour désigner particulièrement les liquides alcoolisés. Breuvage se disait pour le café, le thé, les eaux gazeuses; boisson pour les eaux-de-vie, les liqueurs, les bières... Jusqu'à ce que l'Office de la langue française condamne l'emploi de breuvage dans le sens de boisson, parce qu'il correspondait au sens anglais moderne du mot. Quant à boisson, il est régulièrement employé, en français standard, et par euphémisme, pour désigner l'alcool.

BOISSON

Des débordements de sens

Abreuver, abreuvoir, abreuvement transportent l'idée d'une grande abondance de liquide. C'est pourquoi ces mots s'emploient surtout en fonction des animaux ou, au figuré, d'un débordement. On va, par exemple, abreuver quelqu'un d'injures.

En latin, *bibo, bibere* avait aussi la connotation d'absorption. Ce qu'on retrouve dans des mots de la même famille comme imbiber, buvard, biberon dans le sens d'ivrogne et aussi dans un vieux verbe aujourd'hui disparu, imboire, dont nous avons cependant gardé le participe passé: imbu. On ne peut passer sous silence le mot déboire, qui a pourtant l'air tout à fait étranger, par son sens actuel, à cette famille de *bibo*. C'est que déboire avait, au quinzième siècle, le sens d'arrière-goût laissé dans la bouche par un liquide. Ainsi, Nicolas Boileau — dont le nom convient on ne peut mieux ici — parlait d'un déboire comme d'un goût désagréable laissé au palais par un mauvais vin. Il est intéressant de voir comment le sens du mot a évolué d'arrière-goût physique à arrière-goût moral, car le déboire n'est pas qu'une déception: c'est l'impression pénible laissée par cette déception. En somme, une amertume.

IMBIBER

IMBU
DÉBOIRE

POURBOIRE

On fait bien sûr facilement le lien entre boire et pourboire. Le pourboire, c'est: pour boire. On donne de la monnaie en remerciement d'un service apprécié, de la même façon, en somme, qu'en d'autres circonstances on offrirait un verre.

FOURBU

Mais on ne voit peut-être pas tout de suite le verbe boire sous le mot fourbu. Qui signifie aujourd'hui: extrêmement fatigué. Cependant, au départ, fourbu est le participe passé d'un verbe disparu, forboire, c'est-à-dire boire plus qu'il n'est permis. Car dans forboire, for, ce n'est pas une forme de fort ni de fors, mais le même mot que celui qui nous reste dans la locution «le for intérieur», c'est-à-dire le jugement, la conscience, la coutume aussi. Forboire signifiait donc: boire plus qu'il n'est acceptable. Ainsi, être fourbu, c'était être «fatigué par un excès d'alcool»; ensuite, à partir du dix-neuvième siècle, le mot a perdu sa relation avec la bouteille et n'a conservé que son sens de «fatigué à l'excès».

COMMENT BUVEZ-VOUS, BUVEURS?

Le corps humain peut résister trente, quarante, même soixante jours à la privation d'aliments solides, mais pas même une semaine à la privation de liquide. Nous devons régulièrement nous désaltérer, nous dés-altérer.

ALTÉRER

Voilà un mot — altérer — qui ne laisse pas facilement deviner son sens premier. Il nous vient du latin *alter* (dont la racine, *al,* existait déjà dans les langues ancestrales, avec le même sens, celui de: autre). Cet *alter* latin, nous nous en servons dans des mots comme autrui: les autres; alternance: passer de l'un à l'autre; adultère: aller vers un autre; subalterne: un autre qui est inférieur; alter ego: l'autre moi-même, l'égal; altérer: changer, modifier, faire devenir autre.

Que vient donc faire la soif dans altérer? En latin, le verbe *alterare* voulait dire: falsifier, donner une autre apparence dans l'intention de tromper. En passant en français, *alterare* a changé légèrement de sens et a signifié, au quatorzième siècle, dénaturer. Ce qui était logique. Curieusement, deux siècles plus tard, altérer prend le sens d'exciter, et tout de suite on le fait passer de l'excitation à la soif! Altérer, c'est donc donner soif et désaltérer, étancher, apaiser, faire disparaître cette soif. Il s'agit d'un passage du propre au figuré (soif a aussi le sens de désir, d'aspiration vers quelque chose d'autre). Le mot a dû évoluer à partir de l'observation du comportement de l'homme ivre, dont la personnalité est altérée par l'alcool qui excite ses sens.

TÉTER

Comme il existe bien des façons de manger, il existe bien des façons de boire. La première étant, chronologiquement parlant, téter. C'est un geste de nourrisson. Le mot vient du germanique occidental *titta*: le bout de la mamelle, qui donnera *teat* en anglais, *tetta* en italien, tette et tétine, tétin, téton et tétée en français. Le buveur qui a toujours le goulot de la bouteille à la bouche est comparé à un bébé ne pouvant survivre sans le sein de sa mère. On dira qu'il tète la bouteille, la chopine. Ou bien qu'il biberonne (de *bibere*: boire). Au Québec, on pourra entendre dire d'un buveur invétéré que c'est un vrai biberon.

BIBERON-NER

Boire à petits coups

LAPER

Si on boit comme un chat, à petits coups de langue, on lapera. Laper est probablement né d'une onomatopée, et certainement ancienne, puisqu'elle influencera le latin: *lambere* puis *lappare*; le grec *laptein* et le germanique qui donnera l'anglais *to lap*. Avant d'employer le mot laper, on disait humer (lui aussi est venu d'une onomatopée imitant le bruit de la bouche qui aspire). Il est resté par exemple dans l'expression «humer le piot», c'est-à-dire boire un pot. Et c'est parce qu'on a comparé l'aspiration d'un liquide à l'aspiration d'une odeur que humer a fini par signifier: sentir, respirer.

HUMER

Cela n'a jamais été bien vu de laper à table, du moins en Occident. Et des générations de parents ont défendu à leurs enfants de faire du bruit en avalant leur soupe. En 1765, un certain Antoine de Courtini publiait son *Traité de la Civilité qui se pratique en France parmi les honnêtes gens*. Il y dénonçait l'habitude de laper comme un grave manquement au savoir-vivre. D'ailleurs, tous les bruits intimes sont à proscrire à table. Nous avons horreur des rots, vents, hoquets, borborygmes et autres gargouillis.

SIROTER

Mais ce qui peut être bien vu, c'est de siroter son verre. C'est-à-dire de le boire à petits coups tout en prenant le temps de bien goûter le liquide. Brillat-Savarin disait que «les vrais amateurs sirotent leur vin», qu'ils le savourent à petites doses (silencieusement, bien sûr). Le mot siroter vient de sirop, lui-même d'origine arabe, *sarab* ou *charâb*: boisson. Le sirop a d'abord désigné, au Moyen-Âge et sous sa forme latine: *siru-pus,* une préparation d'apothicaire. C'était un mot du vocabu-

SIROP

laire médical. On faisait dissoudre du sucre dans de l'eau ou des jus de fruit, dans lesquels on avait au préalable fait macérer ou décocter des substances aromatiques ou médicamenteuses avec, parfois, ajout d'alcool ou d'essences diverses. Cela ressemblait à nos sirops d'aujourd'hui contre la toux. Un sirop, à cause de sa consistance épaisse et de son goût soutenu de sucre, ne s'avale pas facilement d'un seul coup. D'où siroter.

À LA RÉGA-LADE

GORGEON

Mais si, au lieu de siroter son alcool, on se le jette derrière la cravate, tête renversée, sans toucher son verre des lèvres, on dira qu'on boit à la régalade. L'expression est un jeu de mots, d'après régaler et galet, un régionalisme qui, suivant le latin *galla,* désigne le gosier. Ou bien on parlera de gorgeon, c'est-à-dire justement de la petite gorgée qu'on se verse directement dans la gorge. Le mot gorgeon peut aussi s'employer pour la boisson en général.

CUL SEC

Enfin, boire d'un trait le contenu de son verre, c'est faire — ou boire — cul sec, où cul désigne le fond du contenant. Pour que le fond du verre soit sec, il ne suffit pas de boire d'un coup, il faut aussi boire jusqu'à la dernière goutte!

Trinquer, c'est choquer les verres avant de boire, en portant un toast ou en exprimant un souhait amical, souvent aussi sans rien dire, la signification du geste étant connue.

Par euphémisme, c'est boire beaucoup. Et par ironie, c'est écoper.

Le mot nous vient de l'allemand *trinken*: boire (on entend bien l'anglais *to drink*), et existe en français depuis le seizième siècle. C'est chez Rabelais, semble-t-il, qu'on le trouve pour la première fois.

Mais d'après Maguelonne Toussaint-Samat, dans *Histoire naturelle et morale de la nourriture,* trinquer avait autrefois un sens différent. C'était présenter les coupes remplies à la ronde, en signe de politesse et dans un but précis: montrer que tout le monde avait reçu la même quantité de boisson. Ce dont on ne pouvait pas être sûr autrement, les récipients étant le plus souvent opaques.

Un divin enthousiasme

Comme tous les gestes primordiaux communs à tous les êtres vivants — naître, se nourrir, se reproduire, mourir —, boire s'est entouré d'un rituel qui se perd dans la nuit des temps. Le besoin de boire est plus impérieux, plus fréquent encore que celui de manger. L'homme est plus fragile au manque d'eau qu'au manque de pain.

Mais surtout, c'est par le boire que l'homme connaît l'ivresse, ce mystérieux état dont on dit à la fois qu'il l'élève au rang des dieux et le ravale au rang des bêtes.

Dans l'Antiquité, l'ivresse est associée au plaisir pur, à l'obtention de la vérité (*in vino veritas*), à la libération des sens. C'est un cadeau des dieux. Comme le dit bien Rabelais avec sa «dive» — sa divine — bouteille. Il y a aussi un rapprochement avec les dieux dans l'expression «faire des libations», c'est-à-dire boire copieusement puisque la libation consistait, dans les rites sacrificiels, à répandre un liquide en offrande.

Le mot grec pour désigner l'ivresse rituelle était *enthousiasmos*. Et c'est l'enthousiasme qui procède au dithyrambe, poème lyrique en l'honneur de Dionysos à l'origine. L'esprit s'exalte, l'âme participe de la divinité. Aussi l'ivresse doit-elle être réservée aux initiés, aux privilégiés, c'est-à-dire aux hommes libres. Femmes, enfants, esclaves sont exclus du mystère. Jusqu'à il n'y a pas si longtemps encore, les femmes «bien» ne s'enivraient pas. Et se voyaient même interdire l'entrée de certains lieux fermés où se consommait l'ivresse.

Car, parallèlement, boire est un péché, l'ivresse, un gouffre où l'on perd son âme. L'homme qui boit renonce à sa dignité, à ses devoirs, il pose un geste païen. Le pire, sans doute, pour celui ou celle qui boit, étant de ne plus arriver à se tenir debout, donc de perdre son image d'humain vertical.

Les voiles de l'euphémisme

Le langage va véhiculer ce mystère et ce paradoxe du boire. Peu de domaines, si ce n'est celui du sexe, ont inspiré autant de métaphores et d'euphémismes. Le premier étant boire lui-même qui, employé seul, sous-entend la plupart du temps boire beaucoup et de l'alcool. Mais le plus souvent, on déguisera même le mot et ce, par l'humour. Comme s'il fallait retrouver l'enthousiasme antique et dédramatiser l'ivresse. N'est-elle pas, après tout, souvent le seul bonheur du peuple? Un vieux proverbe disait: «À petit manger bien boire.» Boire dédommage de la pauvreté. Fait oublier la misère, la tristesse, l'impuissance, la petitesse. Péché d'ivresse est largement pardonné par le langage.

LIBATIONS

ENTHOU-
SIASME

84

DIONYSOS (BACCHUS) OU L'IVRESSE DIVINE

Chez les Grecs, Dionysos était l'un des dieux les plus importants. Sa mère, la nymphe Sémélé, avait été fécondée par Zeus sous la forme d'une pluie d'or. Elle mourut tandis qu'elle portait encore l'enfant. Alors Zeus le prit dans sa cuisse et la gestation se poursuivit normalement. Dionysos est donc le dieu né deux fois, le dieu né de la cuisse de Jupiter.

Il est parfois représenté comme un jeune homme un peu efféminé. Cette image est tardive et d'influence orientale. À l'origine, c'était au contraire un homme à l'allure très virile, barbu, toujours entouré d'un cortège bruyant: satyres, silènes, pans, centaures et priapes, qui ne sont pas exactement des enfants de chœur, mais plutôt de joyeux fornicateurs, ivres la plupart du temps, gardiens de troupeaux, mi-hommes mi-bêtes, symboles phalliques.

Il y a toujours aussi plein de femmes autour de lui. Ce sont les ménades et les bacchantes principalement. Ivres elles aussi, elles sont échevelées, souvent méchantes, car elles sont chargées d'exercer sur les humains la vengeance du dieu. Et elles l'adorent! Les fêtes en l'honneur de Dionysos abondent: grandes dionysies, dionysies des champs, lénéennes, anthestéries. Et de ces fêtes vont naître la tragédie et la comédie.

Dionysos, c'est la force végétative de la nature. C'est lui qui inventera la culture de la vigne qu'il portera aux peuples de l'Inde dont il serait le premier conquérant.

Il s'agit donc à la fois d'un bienfaiteur de l'humanité et d'un dangereux personnage, qui trouble la raison de ceux qui s'opposent à lui.

Les Romains en firent Bacchus et surent le fêter, au cours de leurs bacchanales et de leurs orgies, au moins aussi bien que les Grecs!

IVRESSE
ÉBRIÉTÉ

IVROGNE

IMBRIAQUE

Ivresse et ébriété sont sœurs, nées toutes deux du latin *ebrius*: ivre. (*Ebrius* avait un contraire, *sobrius,* dont nous avons fait sobre.) Ivresse est un mot populaire; c'est la transmission orale qui a changé le b en v. Ivrogne et ivrognesse ont été tirés directement du latin vulgaire *ebrionia*: ivrognerie. Ébriété est plus jeune de deux siècles; le mot apparaît au quatorzième, mais a vécu surtout dans le langage savant. Jusqu'au dix-neuvième siècle, c'était même un mot rare. Avec un dérivé aujourd'hui disparu, synonyme élégant d'ivrogne et, par extension, de fou, de stupide: imbriaque!

Pour dire «boire» sans le dire, on va utiliser des mots qui font pudiquement appel au premier sens, à l'eau pure et plate: arroser, imbiber, mouiller, humecter, rincer. Comme si cela ne suffisait pas, on brouille encore les pistes en remplaçant gorge ou langue par des mots aussi divers et imagés que corridor, dalle ou dalot, entonnoir, bocal, fusil, goulot, gorlot, gorgoton, gargamelle, gosier, gagouet, gavion, lampas, jabot, pavé, sifflet, avaloir et j'en passe! En jumelant à peu près n'importe quel verbe évoquant l'action d'un liquide avec n'importe quel mot évoquant à peu près l'intérieur de la bouche, on forme une expression qui, presque à coup sûr, s'emploie, s'est employée ou s'emploiera quelque part pour dire: boire.

Car le boire est, avec le sexe, l'un des domaines les plus fertiles en diversions.

Voici des façons de dire: boire, relevées par Robert Giraud, dans *Le Point* (1960):

«On peut boire, se rincer la dalle, écluser un godet, s'en laisser glisser un derrière la cravate, se laver les dents, s'humecter les amygdales, s'envoyer un coup d'arrosoir, s'arroser l'avaloir, se jeter une jatte, en étouffer ou étrangler un, se rincer le plomb, le cornet, le fusil, se graisser le toboggan, sucer, pomper, piper, se mouiller la meule, lever le coude ou se gargariser, sans pour cela être un pochard, c'est-à-dire un nez sale...»

Cité dans *Cafés, bistrots et compagnie,* Brochure du Centre de création industrielle, Centre national d'art et de culture Georges Pompidou, Paris, 1977.

Toutes ces façons de boire ne sont au fond pas bien méchantes. Pour boire plus que ça, on dira écluser, pomper, pinter ou pintocher (littéralement: boire à même la pinte). Et, étrangement, prendre «un» coup.

PINTER

Le coup, tout court, est plus considérable que le p'tit coup («c'est agréable, c'est doux», dit la chanson), à moins qu'il ne s'agisse du p'tit coup de trop, celui qu'on a dans le nez. Mais c'est peut-être aussi le coup de l'étrier, le dernier verre, juste avant de partir, sifflé par le cavalier qui, déjà, a le pied à l'étrier.

Les chansons à boire

SIFFLER

Siffler son verre, c'est faire cul sec, le boire d'un seul trait. Ce sens de siffler existe depuis le quinzième siècle. C'est là un bel exemple de métaphore par l'onomatopée, qui va ensuite s'élargir à sifflet pour gorge, au seizième siècle, mais en perdant son sens de boire au profit de celui de parler: se faire couper le sifflet, c'est être obligé à se taire.

PICOLER

C'est avec le même esprit… musicien, qu'est né picoler. Avec la base expressive *pi,* s'est formée une famille de mots traduisant d'abord le chant des oiseaux: pépier, piailler et leurs dérivés. Dans cette série, il y avait pier, que l'ancien français utilisait pour dire boire, exactement comme nous le faisons avec siffler (son verre). C'est en jouant avec pier au cours des siècles que nous arriverons à des mots régionaux ou argotiques comme *pieulle*: boisson, Rouen, dix-septième siècle;

PIAULE

piaillo: vin, Auvergne, dix-neuvième siècle; et piaule, dont le premier sens, au dix-septième siècle, était celui de taverne, de cabaret. De son côté, toujours avec la base *pi,* l'italien avait fait *piccolo,* c'est-à-dire petit, petite flûte et petit vin de pays. Voilà comment, avec un esprit français, un chant d'oiseau et un mot italien, nous avons créé picoler! Où l'on entend le vin chanter!

Le nombre impressionnant et incalculable de refrains à boire corrobore ce lien entre boire et chanter de plaisir. Comme d'ailleurs les expressions «boire comme un chantre» et «boire comme un musicien». Dans la première, on joue sur le double sens d'entonner: commencer une chanson et remplir un tonneau. Dans la seconde, sur les doubles sens de picoler et siffler.

Les débordements du boire

On peut aussi boire comme une terre sèche, une éponge un trou: donc sans jamais avoir son content. Comme un pompier: il faut beaucoup de liquide pour éteindre un incendie. Comme un Polonais: allusion à des mercenaires polonais renommés pour leur soif. Rabelais emploie «comme un templier». C'est que sur le compte des Templiers, mystérieux et riches, couraient toutes les calomnies possibles, dont la plus accessible à l'imagination populaire était bien sûr l'accusation de s'enivrer. On peut aussi boire comme un sonneur: souvent

À TIRE-
LARIGOT

aussi servant de messe et sacristain, on supposait que le sonneur puisait largement sa compensation à même les burettes!

Ce qui nous amène à boire à tire-larigot. Cette expression
plutôt vieillotte — contemporaine de Ronsard et de Rabelais —
reçoit des étymologistes deux explications. L'une est simple et
claire, l'autre complexe et historiquement non encore confir-
mée. À vous de choisir. La première explication se réfère à la
comparaison boire/siffler/picoler: le larigot (le mot est attesté
entre autres par Littré) était une flûte. Dont on «tirait» les sons
comme on «tire» le vin. La seconde se réfère à une énorme
cloche de la cathédrale de Rouen, baptisée la Rigaude, du nom
de son donateur, l'archevêque Rigaud. Cette cloche aurait été
si lourde à «tirer», que les pauvres sonneurs devaient user
d'alcool pour se donner du courage avant, et se remettre de
leur fatigue après. Cette histoire serait aussi l'explication de
l'expression boire comme un sonneur. Mais se heurte tout de
même au changement de genre et d'orthographe du mot.

PLEIN LA
LAMPE

Mais continuons de boire. Mettons-nous-en plein la lampe,
c'est-à-dire plein le ventre. L'expression s'est d'abord appliquée au mangeur. Qu'est-ce que cette lampe? Il faut savoir
qu'elle vient de lamper, qui est une variante de laper. Prendre
une bonne lampée, c'est prendre une grande gorgée. Mais le
mot lampe (ou lampas, parfois même lanterne) est passé dans
le vocabulaire des buveurs parce qu'il décrit tout à fait bien, et
avec juste assez de subtilité pour être discret, ce besoin du
corps d'être constamment «alimenté» en liquide, comme la
lampe doit l'être en pétrole. La métaphore peut aussi jouer sur
la forme de la lampe, arrondie comme un bedon bien rempli.

On a le ventre qu'on se fait

Ce bedon du buveur ressemble à bien d'autres choses
aussi. À un ballot quand on dit, au Québec, se paqueter. À un
œuf, une outre, un boudin, un fût, un tonneau, tous pleins, bien
entendu.

PAF

Tous ronds. C'est aussi la rondeur que nous décrit le mot
paf. Il s'agit d'une abréviation de paffé, datant du début du dix-
neuvième siècle. Mais déjà, au dix-huitième, existait le verbe
s'empaffer, qui signifiait: se gaver. Paf se rattache à la famille
des pif, paf, pouf, onomatopées décrivant le gonflement: patapouf, pouffer, le pif, le pouf et s'empiffrer sont donc ses frères.

Mais avant d'en arriver à rouler sous les tables, on commencera par être gai (et revoilà l'enthousiasme!), pompette (de pomper: boire), éméché (probablement, dit le *Robert,* par allusion au fait d'être décoiffé, car le lien émécher-lamper, où la mèche de la lampe serait devenue inutilisable, est par trop boiteux). Ou bien, si on boit au Québec: chaud, chaudette, chaudasse, joyeux.

La vue se brouille

GRIS

Ou gris. Avant que Pierre Pérignon ne révolutionne le champagne, ce vin célèbre se faisait en rouge ou en rosé, dit aussi œil-de-perdrix ou gris. Ce champagne gris aurait été le préféré du roi Louis XIV. On aurait associé rapidement la couleur et l'effet. Mais l'emploi de gris pour nommer le début de l'ivresse est peut-être simplement une de ces métaphores qu'affectionne notre langue. Le mot gris vient du francique et désigne la couleur depuis le douzième siècle. Il est bien choisi pour décrire cet état d'entre deux vins, la couleur se trouvant elle-même intermédiaire entre le clair et le sombre. Il n'en faut donc plus beaucoup pour arriver à être... noir!

Et se trouver en plein cirage. L'expression date du premier tiers de ce siècle. Mais elle ne se limite pas à l'ivresse. Elle traduit aussi la fatigue extrême et, très concrètement, dans la langue des automobilistes, des marins et des aviateurs, les situations où la visibilité est nulle. Elle s'applique bien à l'ivresse, car, comme chacun sait, l'alcool trouble la vue.

Et la démarche.

La bête est repue

Car il n'est pas rare que l'homme — ou la femme — ivre se retrouve à quatre pattes. L'alcool ne rend-il pas l'homme semblable à la bête? C'est sans doute pour cela qu'on use de comparaisons animales pour décrire celui qui a trop bu. Car qui a jamais vu un animal s'enivrer pour le plaisir? Pourtant, on dit soûl comme un cochon; il s'agit probablement d'un glissement de sens de beaucoup manger à beaucoup boire. Soûl comme un âne? Ici, ce serait un jeu de mots sur barrique et bourrique. Mais soûl comme une grive! Eh! bien, on suppose que cette pauvre grive serait la grive des vignes, qui adore le raisin!

Soûl

Mais cela suffit. C'est assez. On est satisfait, saturé, rassasié, soûl. Oui, être soûl (on écrivait saoul, vous souvenez-vous?), c'est avoir atteint la satiété. Tous ces mots synonymes que vous avez lus plus haut sont, comme soûl, des rejetons de l'ancêtre latin *satis*: assez.

EXCÈS

La langue distingue les buveurs des ivrognes. Les premiers sont perçus comme de joyeux lurons portés sur la bouteille, mais sachant encore garder la maîtrise de leur passion.

Les seconds sont irrécupérables. Ce sont eux qui justifient le proverbe «Qui a bu boira». Soiffards, ils sont d'éternels assoiffés. Pire: boit-sans-soif, ils ne savent même plus ce qu'est la soif! Jamais rassasiés mais toujours soûls, ce sont des soûlards, des soûlons, des soûlauds, des soûlots. Ce sont des esclaves de l'alcool; aussi les mots qui les désignent portent-ils une bonne dose de mépris, exprimé par des suffixes comme ard, aille, eux, ot.

On les voit misérables, traînant leur vice au long des rues. Soit on les compare à des poches, toujours à remplir, soit à des suicidaires qui s'empoisonnent d'alcool frelaté. Les premiers

Pochard

Poivrot

Robineux

sont des sacs-à-vin, des pochards, des pocailles (le mot poche vient du francique *pokka* et le pochon, au douzième siècle, était une mesure pour le vin). Les autres sont poivrots (en argot, poivre a le sens de poison, puis d'alcool, depuis le dix-neuvième siècle). Au Québec, ce sont des robineux. Le mot est une adaptation de robine, simplification francisée de l'anglais *rubbing alcohol*: alcool méthylique.

Si l'ivrogne est en état quasi perpétuel d'ébriété, incapable de tenir ses serments ou ses promesses, c'est bien connu, il pourrait arriver que notre buveur, ce sympathique compagnon, soit lui aussi pris de boisson (Tel est pris qui croyait prendre!). On dira alors qu'il a pris une cuite, une brosse, une caisse, une biture.

Cuite

Prendre une cuite (on dit aussi se cuiter) s'est formé à partir de cuit qui, dès le dix-septième siècle, a voulu dire aussi ivre. Être cuit, c'est encore aujourd'hui être vaincu, fichu. L'alcool cuit son homme puisqu'il le brûle, le ruine et le ramollit.

90

Brosse

Brosse (on dit aussi brosser), est régulièrement employé au Québec. C'est un vieux mot du patois angevin, qui signifiait:

♦

broc. Dans *Pantagruel,* il est utilisé sous la forme *breusse.* On est donc passé du contenant à l'effet causé par le contenu (et multiplié par le nombre de contenants...)

CAISSE

La caisse, c'est parfois l'estomac ou la poitrine, parfois la tête ou le crâne. On dit non seulement prendre une caisse, mais aussi avoir sa caisse et ramener sa caisse. L'expression peut s'entendre en Suisse et en Bretagne.

BITURE

La biture est, au sens propre, une certaine longueur de câble ou de chaîne. Il s'agit d'un terme de marine. Au dix-neuvième siècle, le mot a acquis le sens d'un repas copieux, puis d'une abondance d'alcool. Au figuré, se biturer, c'est boire avec excès. En somme, c'est se laisser la corde longue. Son navire ayant relâché, le brave marin en fait autant avec sa sobriété. Il largue ses amarres.

BALLOUNE

Il ne flotte plus, il vole! Il est parti sur une balloune. Le mot balloune, très employé au Québec, désigne d'abord un ballon qu'on souffle à l'air ou à l'hélium. C'est un anglicisme: *balloon* orthographié à la française. L'expression décrit tout à fait bien l'inconscience légère de l'esprit emporté par l'ivresse. On peut entendre «partir en balloune» pour exprimer aussi l'enthousiasme des faiseurs de grands projets. Hélas, le ballon crève un jour ou l'autre.

... «POURVU QU'ON AIT L'IVRESSE»!

Pour varier notre vocabulaire, quelques expressions — encore — pour dire qu'on a trop bu. Il va sans dire que toutes ces expressions ne s'emploient pas nécessairement dans les salons.

— avoir un coup dans le nez
— ne pas avoir les yeux en face des trous (se dit aussi quand on est très fatigué)
— être rond comme un pois
— être rond comme une bille
— être gommé
— avoir les épaules carrées
— avoir son quota, son compte, son voyage (cela se dit aussi quand on a eu son plein de problèmes)
— en avoir dans le casque
— avoir de la distorsion dans le cerveau
— il y a de la houle, ne pas avoir le pied marin, devoir traîner sa civière (allusion à la démarche titubante)
— être dans les vignes du Seigneur
— avoir laissé sa raison au fond d'un verre
— être assommé, knout-out, groggy, sonné (se disent aussi de qui a reçu un choc, au physique comme au moral)
— avoir un coup dans l'aile

Chapitre 3

Restau, bistrot, caboulot

Il y eut le feu. Puis le foyer. Parce qu'il sert à la fois à cuire et à chauffer, le foyer est devenu rapidement le centre des activités familiales. À tel point qu'il a donné son nom à la famille (fonder un foyer) et à la maison (revenir au foyer).

Le lieu où l'on mange va donc logiquement s'organiser autour du point où l'on cuisine. Plus tard, quand de simple campement l'abri s'élaborera en maison, la pièce à cuire et à manger restera la plus importante de toutes. La famille s'y tient la plupart du temps. On y reçoit aussi les invités. On y dort même, puisque, mieux chauffée, c'est la pièce la plus confortable en hiver. C'est aussi la plus grande. En quelque sorte l'âme de la maison, quand elle n'est pas toute la maison. Ce modèle existe encore de nos jours en milieu rural.

Dans les demeures seigneuriales, cependant, et cela déjà à l'époque féodale, on va séparer le lieu où l'on cuisine du lieu où l'on mange et vit. Maisons bourgeoises et logements urbains suivront ensuite cet exemple.

SALLE À MANGER

Les aliments sont préparés à la cuisine. Puis, quand on veut manger, on apporte la table dans la pièce principale, la salle. Le mot a été emprunté au francique *sal.* Son orthographe va subir l'influence d'un autre mot francique, *halla,* dont le sens premier est celui d'un espace couvert. De *halla,* le français fera très tôt *halle*: le marché, et l'anglais, *hall*: la salle, que nous lui reprendrons plus tard pour désigner la salle d'entrée de grandes maisons ou d'édifices.

HALL

La chaise change tout

Au Moyen-Âge, pour asseoir les convives autour de la table, on avance simplement des bancs et des coffres coussinés. Car ce n'est qu'au seizième siècle, sous Henri III, que fut adoptée, pour le repas, la chaise individuelle, à dossier. Ensuite, on trouva plus pratique de fixer la table plutôt que de la monter et de la démonter chaque fois. De sorte qu'à l'époque de Louis XIV, la table fixe et ses chaises font partie du mobilier habituel. Alors, on peut décider de créer une pièce spécialement réservée aux repas. Sans démontrer beaucoup d'originalité langagière, on nomma cette nouvelle pièce: salle à manger. (Est-il besoin de rappeler que «salle à dîner» est un anglicisme?) En même temps, il fallut bien trouver un endroit où converser, s'amuser, recevoir. Naquit donc le salon, sur le modèle du *salone* italien.

SALON

LIEUX COMMUNAUTAIRES

RÉFEC-
TOIRE

Dans les couvents, les hôpitaux, les pensionnats, la salle à manger porte le nom de réfectoire. Ce mot, venu du latin ecclésiastique *refectorium,* lui-même dérivé du verbe *reficere*: refaire, date du douzième siècle. Il transmet littéralement l'idée de la réparation. On peut imaginer un vaste atelier silencieux où chaque membre de la communauté, suivant en cela la sainte règle, vient réalimenter, restaurer son organisme, lui refaire les forces. Le repas, d'ailleurs, y est appelé réfection.

MESS

Dans les établissements sans caractère religieux mais où on vit tout de même en groupe — pensons aux écoles, aux prisons, aux casernes, aux navires, aux entreprises —, c'est à la cantine qu'on prend ses repas. Sauf si on est officier dans l'armée; on ira alors au mess. Voilà un mot d'abord pris, au français mets, par l'anglais qui le transforma, puis repris par le français au dix-neuvième siècle, mais sous sa forme anglaise.

CANTINE

CAMBUSE

Cantine est un emprunt à l'italien *cantina*: la cave. *Cantina* venait de *canto*: le coin où l'on conserve les aliments. Car la cantine, comme la cambuse sur le navire (du néerlandais *kabouis*), c'est d'abord la réserve, le magasin des vivres, d'où est organisée la distribution des rations, puis des repas tout préparés.

Quand le groupe doit se déplacer, la cantine suit. Elle devient alors, selon les régions, la cantine ambulante, la cantine mobile, la roulotte, la roulante. Elle va rejoindre les ouvriers au chantier, les soldats en campagne. Elle est attendue au moins autant que sa cantinière, que les chansons couvrent de tant de cadeaux!

La cantine a bientôt élargi sa clientèle. Elle attend les voyageurs sur le bord de la route, va retrouver les amateurs de sport sur les terrains de jeux ou dans les stades, les vacanciers à la plage ou au camping. Les pissenlits ont beau fleurir, les lilas embaumer, les hirondelles construire leurs nids, on n'est vraiment sûr de l'été, au Québec, qu'à l'ouverture des «cabanes à patates frites»!

Dans tous les cantons...

CANTON

Ajoutons que cantine est de la même famille que canton. Canton, au treizième siècle, c'était un coin, mais un coin de rue. Puis son sens s'est élargi géographiquement au quartier, à un petit territoire, enfin à une petite région et à une division administrative. Encore l'idée de petit coin dans se cantonner, dans cantonnement et même dans cantonade: les coulisses du théâtre. Cette famille de mots est venue au français en passant par le provençal.

LIEUX PUBLICS: SI VOUS AVEZ FAIM SURTOUT

CAFÉTÉRIA

Aujourd'hui, la cantine et le réfectoire ont le plus souvent cédé leur place, dans les entreprises et les institutions, à la caféteria. Au début de ce siècle, on a dit caféterie, en français. Mais vers 1939, c'est la finale américaine qui a pris le dessus. L'américain avait, de son côté, pris le mot à la langue espagnole. La *cafeteria,* c'était une boutique où l'on vendait du café. Elle est devenue un restaurant où l'on se sert soi-même.

La bonne idée d'un Boulanger cafetier

RESTAU-RANT

Tout ce que nous dit le mot restaurant, c'est qu'il s'agit d'un lieu où, ayant payé pour manger, le client est remis en forme, pleinement restauré.

C'est d'ailleurs l'idée qui poussa un certain Boulanger, cafetier (pour gagner son pain, sans doute) de son état, à servir à ses clients un bouillon à base de viandes, assez solide et réconfortant pour servir de repas. Ce genre de bouillon portait le nom de «restaurant» depuis le Moyen-Âge; c'était une recette santé et on le recommandait particulièrement aux malades. Mais l'idée de génie de Boulanger fut de le vendre dans son établissement.

Car jusque-là, on ne pouvait prendre un repas complet à l'extérieur de la maison qu'à l'auberge ou chez le traiteur. Et il s'agissait de tables d'hôtes. C'est-à-dire que les clients mangeaient tous ensemble à la même table le même repas. La formule s'apparentait plus à celle du réfectoire qu'à celle que l'on connaît aujourd'hui.

Bouillon n'est pas ragoût

Boulanger commença de vendre son bouillon repas à Paris, en 1765. Ce ne fut pas facile: tout de suite, la Corporation des Traiteurs, dont il ne faisait pas partie, le poursuivit pour ce que son bouillon ressemblait trop à un ragoût. À cette époque, seuls les traiteurs pouvaient légalement vendre du ragoût. Mais Boulanger gagna sa cause. Et le bruit que fit le procès servit sa publicité! Vingt ans plus tard, on comptait cent établissements du genre dans la ville et déjà, on y offrait bien plus que du bouillon. Au début du dix-neuvième siècle, le nom de restaurant l'emporta définitivement sur ceux de «restaurat» et de «maison de santé» qui avaient aussi eu cours. Encore un peu plus tard, on entendit parler de «bouillons» pour désigner de petits restaurants à petite carte et à petits prix. Ce nom venait de la raison sociale d'une chaîne établie par un nommé Pierre Duval (il était boucher, celui-là!): *Les Bouillons Duval.* Mais le nom disparut.

Les formules rapides

Il en viendra d'autres! Car les restaurants ne se sont pas seulement multipliés. Ils ont appliqué des formules qui ont changé profondément nos mœurs. Ainsi, la rapidité du service est-elle devenue le critère de base de chaînes énormes de restaurants qui, partout dans le monde, ont misé sur le manque de temps des voyageurs et des familles. Pour les nommer, nous avons inventé des mots rapides aussi, des mots-valises à l'américaine, comme restauroute et restauvolant.

Si la lettre des mots restait toujours fidèle à leur esprit, les restaurants feraient sérieuse concurrence aux cliniques de santé! Et les traiteurs seraient les gens les plus diplomates du monde.

TRAITEUR Qu'est-ce qu'un traiteur? Le mot vient du latin *trahere, tractus,* comme tirer et traire. Il y a sous ces verbes du maniement, de la manipulation. Au figuré, on fera traiter, c'est-à-dire bien manier un sujet, une discussion, une affaire. Au douzième siècle, traiter a le sens de discourir comme, de nos jours, quand on traite d'un sujet. Au treizième siècle, le traiteur devient négociateur: il manipule les arguments, établit les traités. Mais où négocie-t-on mieux qu'autour d'une table? Voilà le traiteur devenu, au seizième siècle, un hôte. Au dix-septième, il a si bien mené sa négociation qu'il a fini par obtenir d'être payé pour offrir à manger à ses hôtes. C'est probablement de cette époque que date une expression qu'on n'entend plus, semble-t-il, qu'au Québec: payer la traite. C'est-à-dire au sens propre se charger de l'addition, payer un verre, acheter des friandises pour régaler à la ronde; au sens figuré, se payer la traite, c'est s'offrir quelque chose pour se faire plaisir, mais payer la traite à quelqu'un, c'est aussi le battre, lui flanquer une volée, se venger de lui.

**PAYER
LA TRAITE**

Ici on peut dormir

L'hospitalité est un geste gracieux. Qui tient à la fois de la charité et du savoir-vivre. Notions qui transparaissent aussi sous les autres mots de la famille du latin *hospes, hospitis*: hôpital, hospice, hôtel, hôte.

HÔTEL

L'hospitalité s'adressait tout particulièrement aux voyageurs: étrangers, pèlerins, vagabonds, et aux sans-abri indigents. Elle supposait donc qu'on offrît non seulement le repas, mais les soins et le logement.

L'hospitalité charitable était assurée par les religieux à l'hospice ou à l'hôpital. Les familles aisées pratiquaient plus souvent une hospitalité mondaine dans leurs grandes maisons, les hôtels particuliers, où le maître d'hôtel voyait à l'organisation du service de la table. À l'hôtellerie, l'hospitalité, gîte et couvert, se payait. De nos jours, on attribue parfois le nom d'hôtellerie ou d'hostellerie, comme on écrivait autrefois, à un grand restaurant coté. C'est une fantaisie, puisque l'hôtellerie était, au contraire de l'établissement de luxe, rustique, et que sa table était simple.

L'ancien français avait d'abord laissé tomber le h du modèle latin, mais en a conservé le s jusqu'au dix-septième siècle, époque où l'accent circonflexe a remplacé le s dans une foule de mots.

Madame reçoit

HÔTE

En latin, *hospes* comportait en plus l'idée de la réciprocité: celui qui était accueilli s'engageait moralement à rendre la pareille si cela était un jour possible. C'est pourquoi, en français, le mot hôte désigne aussi bien l'invitant que l'invité. Seul le féminin marque la différence: l'hôtesse reçoit, l'invitée est une hôte.

AMPHITRYON

L'amphitryon, c'est l'hôte qui vous reçoit à manger chez lui. Plus particulièrement, l'hôte dont les dîners sont réputés. Voilà un mot très littéraire, très classique. Qui aujourd'hui ferait un peu vieux jeu, employé sans une pointe d'humour.

Le mot vient du nom d'un prince thébain qui s'est montré d'une hospitalité... extrême. Il était marié à Alcmène, que Zeus trouvait bien à son goût. On connaît l'imagination amoureuse de Zeus qui affectionne changer de forme pour conquérir les mortelles. Pour Alcmène, il ne se contenta pas de se transformer en cygne ou en bœuf. Il prit tout simplement la forme de l'époux! Le pauvre Amphitryon était en expédition du côté de la mer Ionienne. Zeus sous ses traits fit donc celui qui revenait de loin, de sorte qu'Alcmène, trop heureuse, ne se méfia pas du tout. Neuf mois plus tard, elle mit au monde des jumeaux. Iphiclès, fils d'Amphitryon, le vrai, et Héraclès, Hercule si vous préférez, fils du faux Amphitryon.

Molière, après Plaute dont il s'inspira, trouva le sujet bien amusant. Il en fit une pièce, *Amphitryon,* présentée en 1668. Au dernier acte, Jupiter, sous la forme d'Amphitryon, et Amphitryon lui-même sont confrontés. Qui est le vrai, qui est le faux? Sosie, valet d'Amphitryon, doit en juger. Or, l'un des Amphitryon a convoqué des amis à dîner. Pour Sosie, c'est le critère de vérité: «*Le véritable Amphitryon*, dit-il, *est l'Amphitryon où l'on dîne.*» La réplique a plu. L'expression est devenue à la mode. Et depuis ce temps, un Amphitryon est un hôte.

Pourtant, Sosie se trompait... L'Amphitryon qui organisait un dîner, c'était le faux!

L'armée allemande

AUBERGE

Question de goûts ou de moyens, le voyageur préférera peut-être se restaurer à l'auberge plutôt qu'à l'hôtel ou à

99
◆

«l'hostellerie» à enseigne constellée. Pas de luxe sous le mot. Plutôt la rude simplicité militaire! Car auberge remonte au mot germanique *har:* armée (*heer* en allemand), comme le héraut, l'héraldique ou le harnais. Le camp où s'abritaient les soldats se disait en francique: *heriberga* dont l'ancien français fera herberge: le logement, l'hôtel et, par extension, l'hospitalité. Nous en garderons le verbe héberger. Mais l'herberge finira par se laisser gagner par la douceur de la langue provençale qui disait *auberjo.*

L'auberge offre généralement une cuisine simple, une atmosphère champêtre, des prix abordables. Ce n'est pas un endroit chic. À preuve, en argot, l'auberge c'est la prison; aussi l'expression «on n'est pas sorti de l'auberge» exprime-t-elle que les ennuis ne font que commencer. Quant à l'auberge espagnole, elle avait bien mauvaise réputation. Il était préférable, disait-on, d'y apporter sa propre nourriture si on voulait manger à sa faim. L'auberge espagnole est ouverte, mais c'est à chacun de la garnir des éléments qu'il souhaite y trouver. Ainsi en va-t-il de la lecture selon Maurois ou de la *Neuvième* de Beethoven selon Montherlant!

À petits prix

BINERIE

Pour rester dans les repas à petits prix, allons à la binerie. Pour cela, il faut se trouver au Québec. Tous les Québécois connaissent les fèves au lard — où «fève» est l'appellation ancienne de la faséole ou fayot ou haricot. Dans la langue populaire, les fèves au lard sont appelées «bines» selon le mot anglais *bean*: fève. Il s'agit bien sûr d'un anglicisme flagrant, arrivé dans la seconde moitié du dix-neuvième siècle en même temps que la recette (avec mélasse), originaire de la ville américaine de Boston. La binerie est donc un petit restaurant à service minimal où l'on offre les fèves au lard d'abord, mais aussi d'autres plats consistants typiques, comme la soupe aux légumes ou aux pois, la tourtière, le ragoût de boulettes, la tarte au sucre ou le pudding chômeur. Ces plats coûtent peu parce que cuisinés en grande quantité à partir de produits bon marché. La *Binerie Mont-Royal,* à Montréal, est sans doute devenue la plus célèbre de toutes depuis la parution du roman d'Yves Beauchemin: *Le Matou.*

100

GARGOTE

Attention! La binerie ne s'apparente en rien à la gargote, où la cuisine est carrément mauvaise. Gargote (on entend parfois gargot) vient de gargoter: boire ou manger malproprement, qui, comme gargouiller et ses dérivés, est né d'une onomatopée de bruit de gorge. Si, à l'origine, la gargote était un petit cabaret minable, le mot peut maintenant s'appliquer à tout restaurant où l'on mange mal. Et le gargotier, de tenancier est devenu mauvais cuisinier. Bref, la gargote est dégoûtante!

Il faut dire à sa décharge que la cuisine ne constituait pas sa vocation première. On s'y rendait d'abord pour boire. Comme à la taverne, au café, au bistrot.

LIEUX PUBLICS: SI VOUS AVEZ SURTOUT SOIF

Céans fait bon dîner, céans
Ci a chaud pain et chaud hareng
Et vin d'Auxerre à plein tonnel

Voilà ce que Jean Bodel d'Arras, vers 1190 ou 1200, fait dire à son crieur des tavernes installé devant la porte pour attirer le client, dans *Le Jeu de Saint Nicolas*. On pouvait donc dès le Moyen-Âge manger un morceau à la taverne. On y mangeait et buvait cependant debout, le plus souvent en passant, car officiellement la taverne était avant tout un commerce de vin à emporter. Pour boire à une table et prendre son temps, il fallait aller chez l'aubergiste ou le cabaretier. Détail amusant: le tout premier aubergiste de Nouvelle-France portait le nom invitant de Jacques Boisdon...

«J'aimerais mieux que mon fils apprist aux tavernes
à parler, plutôt qu'aux écoles la parlerie.»
MONTAIGNE

TAVERNE
La taverne est d'origine gallo-romaine. Elle existe déjà au deuxième siècle. Son nom est tiré du latin *taberna*: la tente d'abord, puis la cabane de planches, enfin l'échoppe. Très tôt, *taberna* s'appliquera aussi plus précisément à l'échoppe du marchand de vin. Un de ses diminutifs, *tabernula,* désigne une petite boutique, une petite auberge. Un autre, *tabernaculum,* employé par la langue ecclésiastique avec surtout le sens d'abri pour l'Arche d'Alliance et les objets sacrés, donnera tabernacle en français.

Des lieux mal famés

CABARET

C'est la même idée de «petit lieu» qui se trouve sous cabaret. Cette fois, il s'agit d'une pièce voûtée, la *kamara* grecque devenue *camera* en latin, qui deviendra d'une part la chambre et, d'autre part, cette fois en passant par le germanique, la cambrette picarde puis le cabret moyen néerlandais dont nous ferons, au treizième siècle, le cabaret. Il s'agit donc d'un lieu voûté, peut-être une cave, en tout cas plus fermé que la taverne.

CABOULOT

Le caboulot est mal famé. Il s'agit d'un mot franc-comtois, diminutif de cabane et popularisé au milieu du dix-neuvième siècle.

Les lieux à boire ont souvent eu mauvaise réputation. Non seulement à cause des écarts de conduite de leur clientèle, mais aussi parce qu'ils ne présentaient pas toujours un aspect bien respectable. Les mots nous les décrivent d'ailleurs comme des constructions rudimentaires qui ne payent vraiment pas de mine. Si la taverne d'origine n'est qu'un simple abri de toile ou de planches, l'estaminet, comme le boui-boui, tient de l'étable.

ESTAMINET

Estaminet, passé du picard au français au dix-septième ou au dix-huitième siècle, est de la grande famille des *sta,* comme restaurer, établissement ou étable. Mais c'est un rejeton, comme stand, de la branche germanique. Le mot dérive de *stamon*: le poteau de mangeoire dont le wallon fera *staminê*: la travée d'étable, puis la salle à travées avec ses poteaux apparents... L'estaminet est donc proprement (si l'on peut dire...) comparé à la stalle d'étable et à l'étable elle-même.

BOUI-BOUI

Comparaison du même esprit dans ces noms donnés à des cafés dansants populaires: le beuglant ou, mieux encore, le boui-boui. Où boui(s) — du latin *bos, bovis*: le bœuf — désigne, dans le Jura par exemple, encore l'étable. On comprend mieux alors la métaphore de l'ivrogne, pourtant si peu solide sur ses jambes, «pilier» de bar, d'estaminet, de bistrot, de taverne ou de cabaret.

Et vint le tabac

Estaminet n'a pas eu une très longue vie, en réalité: deux siècles tout au plus. Au dix-huitième siècle, il est rare et on

TABAGIE

l'emploie presque exclusivement pour désigner les cabarets d'Allemagne, de Hollande et des provinces françaises du Nord, qui avaient ceci de particulier et de nouveau qu'on s'y réunissait pour fumer. On les appelait aussi tabagies. Quand, au début du dix-neuvième siècle, la mode de fumer pénétra dans les cafés de Paris, on réserva le nom d'estaminet aux établissements où l'on fumait la pipe. Car le café où l'on fumait le cigare ou la cigarette s'appelait divan. Après 1870, estaminet quitte la capitale et retourne dans le Nord où il devient simplement un petit café populaire, avec parfois une nuance péjorative. Dans certains ouvrages spécialisés, on verra peut-être estaminet désigner la section d'un établissement ouverte du côté de la rue. Aujourd'hui, si estaminet est encore au dictionnaire, il est cependant à peu près complètement disparu de la langue parlée, comme tend à disparaître aussi l'autorisation de fumer dans les lieux publics!

«Au XIIᵉ siècle, le sombre et boueux Paris... était déjà entouré de jardins où le peuple allait boire.

«C'était, autour de ces tristes murailles, un cercle verdoyant qui, s'animant aux jours de fête, semblait une ronde joyeuse de gens, accourus à l'heure dite, pour demander au plaisir une revanche contre l'ennui.

«Ces rendez-vous demi-champêtres, si régulièrement hantés par le petit peuple et la bourgeoisie, se nommaient... *courtilz* ou *courtilles*. [...]

«Mais quand venaient ces fêtes au long chômage, où le peuple, qui se sent libre pour quelques jours, ne craint pas de s'oublier auprès d'un broc de vin; quand un chaud rayon de soleil l'invitait à sortir de ses demeures humides et enfumées, alors il se répandait... dans la campagne et s'aventurait jusqu'à des courtilles plus lointaines.

«Mais, on le sait, tous les jours ne sont pas jours de fête; tout persuadé qu'il est de ce vieil axiome, le peuple n'en a pas moins cependant cette soif quotidienne qu'il traite comme un besoin pendant la semaine, si le dimanche il l'honore comme un devoir.

«Il lui fallut donc, à défaut des courtilles réservées pour l'ivresse des bonnes fêtes, quelques lieux voisins du logis où il pût, satisfaisant aux caprices de cette soif journalière, aller visiter et boire à ses heures. Ces lieux furent nos premiers cabarets.»
Édouard Fournier et Arthur de Beauplan, texte du XIXᵉ siècle cité dans le *Larousse gastronomique,* Librairie Larousse, Paris, 1960.

Dansons la gigue!

GUIN-
GUETTE

La guinguette est plus joyeuse. Il s'agit d'un estaminet, d'un petit cabaret, situé au bord de l'eau, hors des barrières de Paris à tout le moins, où l'on danse. Simplicité champêtre sinon étymologique. Ce qui est certain, c'est que guinguette désigne, au dix-septième siècle, une petite maison, comme celles du quartier des Guinguettes, situé à cette époque tout près des Tuileries. Ce «guinguette» serait le féminin de guinguet: court, étroit quand on parle d'un habit. Allez voir ce que l'habit et la maison ont de commun... Mais guinguet se serait dit aussi d'une variété de raisin, puis de la piquette que donnait ce raisin, légèrement acide et faible en alcool. C'est parce qu'on buvait du guinguet dans les cabarets hors les murs qu'ils auraient pris le nom de guinguettes.

Mais on fait aussi remonter guinguette jusqu'à *giga,* un mot du haut allemand extrêmement ancien qui désignait le violon. En ancien français, ce *giga* est devenu gigue et gigle, noms donnés à des instruments du type viole, au son desquels on aimait à danser. Si bien qu'on créa, à partir de *giga* et de gigue, toute une série de mots exprimant les attitudes et les mouvements du danseur: giguer (en passant par l'anglais); gigoter, gambader (en passant par l'italien et le provençal); gigolo dont le sens originel serait celui de danseur, dégingandé et la locution «de guingois».

Suivant cette piste, la guinguette peut bien rester d'abord une petite maison de campagne — ce qui est incontestable puisqu'il y a des textes qui le prouvent —, mais ensuite pas n'importe laquelle: une maison où l'on va danser. L'hypothèse est logique. Comme celle qui voit un rapport entre «petite maison étroite» et «de guingois». Pourquoi, après tout, ne serait-on pas allé danser dans une petite maison toute croche si on y offrait un petit vin pas cher et pas désagréable?

Influences internationales

«Sans les cafés, il n'y aurait pas eu Sartre.»
BORIS VIAN

◆ CAFÉ

Dans la deuxième moitié du dix-septième siècle, l'apparition des cafés allait redorer le blason des débits de boisson.

Ils surgissent d'abord dans les grandes villes: Marseille, Vienne, Londres, Paris. On les appelle en Autriche *caffehaus,* en Angleterre *coffee houses,* en France «maisons de caoué», puis «cabarets de café», enfin «cafés» tout court, d'après le nom turc du breuvage: *kahvé.* L'établissement le plus célèbre de tous, celui qui allait pour des siècles donner le ton, ne fut pas le tout premier à Paris. C'était celui du Sicilien Francesco Procopio dei Coltelli, le *Procope.* Ouvert en 1702, juste en face de la Comédie-Française, le *Procope* attirait principalement une clientèle d'écrivains, d'artistes et d'intellectuels qui trouvaient enfin, dans un décor oriental excitant l'imaginaire (la Turquie était très à la mode) et devant une boisson excitant les idées, un lieu privilégié où échanger, discuter et diffuser les théories nouvelles. Ses clients se nommaient Voltaire, d'Alembert, Jean-Jacques Rousseau, Beaumarchais, Buffon ou Diderot. Ils pouvaient déjà y lire les journaux mis à leur disposition.

Les cafés prolifèrent bientôt. Il y en aurait eu près de 2000 à la Révolution. On fit des cafés billard, des cafés restaurants, des cafés-concerts et des cafés chantants, des cafés-théâtres vers 1960, des cafés universitaires, des cafés terrasses et même des cafés chrétiens!

Il faut croire que, pendant un bon gros siècle, les cafés si multiples et variés devaient combler les consommateurs, puisqu'il faut attendre la fin du dix-neuvième siècle pour que le vocabulaire s'enrichisse de bar et de bistrot. Entretemps, on avait tout de même créé la métonymie «débit de boissons» et élargi le sens de brasserie.

DÉBIT DE BOISSONS — Débit de boissons n'a pas de rapport avec la dette ou le devoir venus du latin *debere.* Mais il en a avec le découpage du bois! À l'origine, un mot scandinave, *biti,* qui désignait la poutre transversale sur un navire. Le moyen français en fit bitte, qui était un billot avant de devenir une borne d'amarrage. Et biture, que nous avons vu plus haut. Dé-biter, c'était donc couper le billot en morceaux. Très vite, le mot va s'appliquer à d'autres matières que le bois et s'étendre à l'écoulement de marchandises. D'où le débit métaphorique exprimant la fluidité de la parole, d'une part, et, d'autre part, le débit métonymique qui donne à l'endroit où l'action se passe le nom de l'action. Ainsi, vers 1829, se met-on à appeler «débit» le commerce où se vendent, s'écoulent, le tabac ou l'alcool à consommer sur place.

BRASSERIE

La brasserie était la fabrique de bière depuis le quatorzième siècle. Comme brasseur puis brasser, le mot remonte très probablement à la langue gauloise et donnera en ancien français, après un détour par le latin, des mots comme brais, brace et brance, désignant à la fois l'orge et la préparation de la bière à base d'orge. D'où bracier: remuer un mélange et branceur: le brasseur. L'orthographe d'aujourd'hui indique un rapprochement, logique sinon étymologique, avec bras.

Au dix-neuvième siècle, on étendit le sens de brasserie à l'établissement où on consommait le produit. Car, au début, on ne servait que de la bière à la brasserie, comme on n'avait servi que du café au café. Dans les deux cas, cependant, on ne fut pas long à offrir d'autres boissons et de la nourriture aussi. Aujourd'hui, d'ailleurs, les brasseries sont en réalité des cafés restaurants. Et comme les cafés, les brasseries du dix-neuvième siècle eurent leurs clients artistes: les Baudelaire, Courbet ou Villiers de l'Isle-Adam. Mais jamais la brasserie, d'ailleurs importée d'Allemagne, ne deviendra si typiquement française que le café. Et le bistrot.

BISTROT

Bistrot — ou bistro — est d'abord un mot de la langue argotique, attesté en 1884. Il désigne aussi bien un petit café que son patron, et quand il s'agit d'une patronne, on dit bistrote. D'où vient-il? On a supposé qu'il s'agissait d'une adaptation du mot russe *byistro*: vite! comme auraient lancé, en demandant un verre, les cosaques stationnés à Paris en 1814. Sauf que les textes de l'époque ne le mentionnent pas... C'est donc très probablement une légende, un joli mais faux rapprochement.

Plus logiquement, bistrot viendrait de bistrouille, variante de bistouille, un mot régional du Nord qui désigne un mauvais mélange d'alcools et un café mêlé d'eau-de-vie (bis-touillé, c'est-à-dire tourné deux fois). On sait aussi qu'en Poitou, un bistraud, c'est le jeune domestique d'un marchand de vin. Il y a peut-être là une influence. Bistrot a donné naissance à un autre mot populaire, de même sens, bistroquet. Voilà un mot-valise formé avec troquet, lui-même abréviation de mastroquet.

TROQUET MASTROQUET

Ce mastroquet à peine plus âgé que bistrot vient lui aussi du Nord, d'après le flamand *meister*: patron. Jeux de langage! mastroquet, troquet et bistrot étant parfaitement synonymes dans leurs deux sens de tenancier et d'établissement.

Si les cafés cherchent le plus souvent à se distinguer les uns des autres, les bistrots, au contraire, se sont trouvé un style bien à eux. Il va faire fureur au début de notre siècle et inspire encore les designers: tables à dessus de marbre, chaises cannées, portemanteaux perroquets...

BAR — Cafés et bistrots firent bientôt partie de la tradition. Il fallait aux buveurs quelque chose de nouveau. La nouveauté vint d'Amérique. À partir de 1850 environ, les voyageurs revenant des États-Unis font mention de tavernes appelées *bars* où les clients, assis sur de hauts tabourets ou debout, consomment au comptoir. Souvent situés dans le hall d'un grand hôtel, les bars vont frapper l'imagination française par leur luxe. Quand ils deviendront à la mode à Paris, au début du vingtième siècle, on ne traduira pas leur nom, ce qui donnerait bêtement «comptoir». En l'utilisant tel quel, on l'investit d'une connotation de «chic». Le bar, c'est la modernité!

C'est pourtant un bien vieux mot, et français par-dessus le marché! Il s'agit simplement de barre. L'anglais le prit à l'ancien français, lui conservant son sens de barre et de clôture. Et c'est parce que les consommateurs anglais étaient séparés du comptoir de leurs tavernes par une barre que, par extension, *bar* devint aussi le comptoir et cela, dès le quinzième siècle. Du comptoir à l'établissement il n'y avait qu'un petit pas, facile à franchir pour un mot qui plus tard franchirait l'Atlantique!

Aujourd'hui et demain

Traversant les siècles, les mots pour dire les lieux où manger et boire se sont enrichis de contradictions: on peut prendre un café à la brasserie et une bière au café, rester sur sa faim au restaurant et s'attabler au bar! D'autres mots, délaissés pour un temps, sont réapparus, comme hostellerie ou rôtisserie. D'autres encore nous sont arrivés de l'étranger comme pizzeria, cafétéria, bar ou pub. Enfin, pour nommer de nouvelles réalités, nous avons inventé des restauroutes et des brochetteries, ou élargi le sens de cantine et de casse-croûte. Demain, peut-être emploierons-nous dans la langue courante ces inventions récentes foisonnant sur les enseignes québécoises: sandwicherie, pataterie, croissanterie ou... poutinerie?

107

Chapitre 4

L'accessoire,
l'utile et le
nécessaire

LE MOBILIER

Quel que soit le lieu où l'on vienne pour manger et boire, la table en est le centre. Où s'accomplit le rituel.

TABLE

Le mot, c'est le latin *tabula* à peine transformé. Mais pour dire table, le latin classique avait aussi *mensa*. *Mensa* désignait l'autel (comme quand nous parlons de la Sainte Table), le comptoir des banquiers (d'où la *mensa publica* était le trésor public), enfin plus précisément la table à manger.

Une planche à tout faire

Tabula était moins spécifique. D'abord, c'était la planche. Puis, toutes sortes de surfaces planes, particulièrement celles sur lesquelles on pouvait écrire ou graver un texte. De sorte qu'avec le temps et l'esprit métonymique, *tabula* fut aussi bien le texte que son support. *Tabula* devint une lettre, une affiche, une loi, un ex-voto, un bulletin de vote, un contrat, un testament, une carte géographique, un registre comptable et je dois en passer. Tous ces sens ont fait de *tabula* un mot très courant du vocabulaire. Aussi, de façon très naturelle, finit-il par faire oublier *mensa*. Qui ne laissa derrière lui que deux ou trois descendants: moise — assemblage de planches —, mense — c'était le revenu affecté à la table d'un prélat — et le plus connu, commensal — celui avec qui on partage la table.

COMMEN-SAL

La forme «table» apparaît en français au cours du onzième siècle. Elle désigne la planche, l'étal du boucher, le comptoir du changeur dont on dit qu'il «porte tablete» (à cette époque, les formes table, tablette, tableau, tablier ne sont pas encore bien arrêtées), enfin le jeu de dames d'où nous restera le verbe tabler. Il y a donc du bois sous la table, mais de la pierre aussi: on pense à la table d'orientation, aux tables de la Loi. Plus tard, à partir du seizième siècle, le sens latin de texte ou de liste refait surface avec les tables de multiplication, de logarithmes, des matières; la table pénètre aussi le monde de la technique: table de roulement, de cuisson, d'harmonie, d'écoute...

Dès son arrivée en français, la table désignera non seulement le meuble sur lequel on dispose la nourriture, mais aussi le repas. Quand, au quatorzième siècle, on «tient table», c'est qu'on invite à dîner. L'excès de table, c'est l'excès de nourriture. Un détail à ce sujet: le mot latin pour «excès de table»: *ganea,* signifiait aussi débauche. Ce qui laisse à imaginer quels excès ce devait être!

Enfin à la hauteur!

«Il s'est toujours passé beaucoup de choses sous les tables, particulièrement lorsqu'elles sont garnies de longues nappes: les tendres passions, les coups de pied en vache s'y échangent allègrement... Le langage a retenu les *dessous de table,* qui désignent les pots-de-vin avec lesquels on graisse la patte à un partenaire pour conclure une affaire.»
MATHIAS LAIR, *À la fortune du pot,* Paris, Éd. Acropole, 1989.

Pour que de simples planches se haussent jusqu'au statut de table, il leur faudra des supports. À l'heure du repas médiéval, on amène les tréteaux et on «dresse les tables». L'expression est si liée au service des repas qu'on l'emploie même en pique-nique pour dire: étendre les nappes sur l'herbe. Quand on a bien mangé, on démonte et on range le tout. C'est pour cela que nous disons encore: dresser, mettre et enlever la table, alors que nous voulons signifier la garnir et la dégarnir.

DRESSER
LA TABLE

Puis, au cours du seizième et du dix-septième siècles, la table se voit pousser des pieds. C'est que cela convient mieux aux chaises individuelles qu'on commence à utiliser, sous l'influence de la cour d'Henri III à qui l'excentricité ne fait surtout pas peur... À la fin du dix-septième siècle, la table fixe n'est pas partout, puisque Furetière, dans son dictionnaire, définit «table» comme suit: «... se dit d'un meuble le plus souvent pliant et portatif, sur lequel on met les viandes pour prendre le repas. »

Quelle inspiration pour les ébénistes que cette table fixe! Sculptée, ornée, incrustée, vernie, elle va désormais et jusqu'à

111

nos jours s'adapter à toutes les formes, à tous les formats, à toutes les hauteurs, à tous les styles et à tous les usages. On aura des tables de toilette, de salon, de travail, de chevet, de conférence; de dessinateur, d'architecte, de tailleur; des consoles, des coiffeuses, des tricoteuses, des guéridons, des établis, des bureaux; des tables roulantes, pliantes, gigognes, à rallonges, à abattants, à tiroirs, à tablettes, à compartiments; tables de verre, de métal, de pierre, de tous bois, tous plastiques, toutes teintes. La table permet enfin à l'*homo erectus* des activités à sa taille!

TÔLE: le mot est une variante dialectique de «table». C'est un mot du Nord-Est, région de métallurgie. Ici, c'est le sens de surface plane qui s'applique au métal. La «taulée» étant la tablée, le mot tôle ou taule, passant par l'argot du XIXᵉ siècle, va se mettre à désigner d'abord une maison, puis un bordel, enfin une prison.

Faire table rase de (qqch.), «considérer comme nulles et rejeter en bloc des idées, des conduites adoptées précédemment» (1835, Acad.). L'image du support sur lequel rien n'a encore été écrit, gravé, appartient à la tradition philosophique classique (Leibniz, Descartes, Locke) et même aristotélicienne. La *table rase* (en latin *tabula* [«planche, tablette»] *rasa*) symbolise l'esprit humain avant toute représentation et repose sur la conception de l'esprit comme un espace où s'inscrivent des signes. Dans la langue courante, la loc. verbale *faire table rase* équivaut à peu près à «changer radicalement ses idées ou son comportement antérieur», avec la valeur dynamique de renouvellement complet, de «départ à zéro».

> J'ai puisé chez vous la force de m'arracher à un confort bourgeois et matériel. J'ai cherché avec vous «non point tant la possession que l'amour». J'ai fait une table rase pour être neuf à la loi nouvelle.
>
> (A. GIDE, *Journal*, t. II, Lettre d'un de ses lecteurs, p. 294.)

En emploi concret:

> On a l'impression d'avoir commis une vilaine action et que durant ces huit jours l'on a travaillé, à son insu, au service de la Mort tant le paysage est massacré, et ça vous donne le vertige d'avoir fait le vide autour de soi, table rase [...]
>
> (B. CENDRARS. *Bourlinguer*, p. 166.)

*Fam. **Se mettre à table***, «dénoncer ses complices, passer aux aveux» (1845). La locution, d'abord argotique, exploite l'équivalence ***manger = avouer*** (cf. *Manger, avaler le morceau*). Par ailleurs, l'image de la table se retrouve dans maintes locutions synonymes, au XIXᵉ s. Ainsi, *monter sur la table* (1836, Vidocq), *mettre les pieds sous la table* (*Malfrats*, 1883), *manger à la grande table* (1899, Nouguier). Les locutions *mettre sur table*, «exposer sans dissimulation» au XVIᵉ s., chez d'Aubigné, *mettre sur la table,* au XVIIᵉ s., chez le cardinal de Retz [on dirait aujourd'hui *sur le tapis*] peuvent avoir formellement fondé l'existence de la série. La loc. se trouve ainsi surdéterminée; elle équivaut à «exposer» (mettre sur la table), «partager le secret» (par la convivialité avec la police, etc.) et «manger, c'est-à-dire détruire, le secret ou les complices».

> Il faisait du zèle... il nous traitait en farouche... Il voulait nous épouvanter!... sans doute pour qu'on se mette à table... qu'on lui fasse tout de suite des aveux!
>
> (L.-F. CÉLINE, *Mort à crédit,* Livre de poche, p. 452.)

Source: *Dictionnaire des Expressions et Locutions,* Les Usuels du Robert, Paris, 1987, pp. 863-864.

La place d'honneur, à table, c'est le haut, le haut bout ou encore le chef de la table. C'est la place des mariés au repas de noces, du père de famille traditionnelle, de l'invité de marque, de ceux dont on dit qu'ils «président» la table. À l'inverse, les enfants, les serviteurs, l'invité le moins honorable occuperont le bas ou le bas bout de la table. «Faire bout de table», cependant, c'est être le dernier invité, celui qui complète la tablée.

Pour éviter ces questions de préséance, on dit que le roi Arthur aurait imaginé une table ronde. Une table où tous les convives sont égaux. Aujourd'hui, une «table ronde», c'est une réunion de travail ou de discussion. L'expression, récente en français — 1955 —, nous vient de l'anglais *round table*.

Multiplication de tables

Mais la table à manger ne suffit pas toujours au service du repas. On va donc lui adjoindre d'autres meubles.

DESSERTE   Le premier auquel nous pouvons penser, c'est la desserte. Fixe ou mobile, étagère ou table, la desserte sert bien sûr à desservir. Et dans les deux sens. C'est-à-dire à dé-servir, retirer ce qui a contribué au service; ou à assurer le service, donc à... servir! Comme le curé qui dessert sa paroisse.

Voilà d'ailleurs le tout premier sens de «desserte». Au douzième siècle, la desserte, c'est le service ecclésiastique de chapelle ou d'église; au quatorzième, la desserte se rapproche de la table, si l'on peut dire, puisqu'elle désigne l'ensemble des mets desservis. Enfin, celle qui nous occupe — le meuble — ne date que du dix-neuvième siècle.

Le mot, bien visiblement, est de la famille de servir, lui-même copie quasi conforme du verbe latin *servire*. Cette famille est énorme. Nous reparlerons de servir au dernier chapitre.

Dans la même famille, on a servante. Mais desserte et servante ne sont pas proches qu'étymologiquement. Une servante, c'est aussi «un petit meuble (table, étagère), servant de desserte». (*Petit Robert*)

Chez les anciens Grecs, on utilisait aussi un genre de dessertes. Il s'agissait de petites tables à un, trois ou quatre pieds sur lesquelles on disposait les mets à la portée des convives. Ces petites tables s'appelaient: *trapezai*. Et c'est ce mot qui deviendra en français: trapèze, perdant tout rapport avec le service de table.

TRAPÈZE

CRÉDENCE

La crédence, elle, a suivi le chemin contraire. Issue de croire (*credire* en latin), exactement comme créance ou crédit, elle signifiait: confiance en ancien français, comme, en italien, son pendant *credenza*.

À cette époque, il était encore d'usage de se débarrasser des princes par le poison. Mais les princes s'en doutaient! Aussi, avant de manger ou de boire, faisaient-ils goûter mets et boissons. C'est ce qu'en Italie on appelait: *fare la credenza*. Cela devint en France: faire credance (plus tard on dira faire l'essay), c'est-à-dire, en fait, faire passablement montre de méfiance. Il s'agissait d'un cérémonial, variable selon les cours, mais auquel étaient toujours réservés des accessoires particuliers. Dont, souvent, une petite table où les déposer. Voilà donc la confiance, pardon la crédence, entrée dans la salle à manger. Et dans le chœur puisque, sous forme de console généralement, elle porte les burettes pour la messe. De l'église, la crédence passera au couvent. Déjà, c'est plus qu'une table. C'est un garde-manger où l'on conserve les provisions de bouche. Et c'est le crédencier qui en est responsable, changeant ainsi de fonction, lui qui plus tôt était goûteur à la cour! Aujourd'hui, la crédence est un vaisselier à étagères. Et tend, à mesure que nous lui préférons les armoires intégrées, à ne servir plus qu'aux collections de bibelots ou d'objets précieux.

BUFFET   Comme la crédence, le buffet, c'est d'abord une table. Depuis le treizième siècle. Où sont disposés les plats garnis, les assiettes et tout ce qui est nécessaire au repas. On ne s'y assoit pas, mais on s'y sert. C'est la table des réceptions, des fêtes, des événements spéciaux.

À partir du seizième siècle, on va fermer la base du buffet et la pourvoir de tablettes et de portes. Parfois, on lui ajoute un dressoir, comme on en verra aux buffets des restaurants. Mais il reste toujours un meuble de service. Les domestiques y déposent les plats, la vaisselle, les bouteilles, les verres qu'ils présenteront aux convives. Aujourd'hui, dans nos maisons, le buffet sert plus au rangement des accessoires et des provisions de table qu'à la présentation d'un repas. Quand on veut préparer un «buffet», on utilise simplement la table à manger ou bien, reprenant les habitudes ancestrales, on dresse des planches sur des tréteaux.

Petit à petit, le repas servi sur un buffet et le lieu où il est offert vont prendre aussi le nom de buffet. On dira buffet froid: ce sera un dîner; buffet de gare: et ce sera un restaurant.

On ne sait trop d'où vient buffet. Il a l'air de tenir de la famille des onomatopées bof-buf-bouf transmettant l'idée de souffler et boursoufler, comme bouffer. Tout se tient, puisqu'en langage familier, le buffet c'est aussi l'estomac, le ventre.

Coffre aux trésors

BAHUT   À première vue, le bahut ressemble au buffet, en plus rustique. Mais au début, quand le buffet était table, le bahut, lui, était coffre. Coffre à couvercle clouté et bombé. D'après certains étymologistes, c'est justement ce bombement qui aurait fourni son nom au bahut; le mot découlerait alors du radical bob (ou bab) exprimant le gonflement, comme dans les mots bobine et babine. Ou bien, vu qu'il a existé des mots comme bahuter, bahurer ou bahuler qui signifiaient: faire du tapage, bahut serait de formation onomatopéique tentant de reproduire le son particulier d'un couvercle de grand coffre qu'on ouvre ou ferme. Au dix-septième siècle, «faire comme les bahutiers» voulait dire: faire plus de bruit que de travail, expression créée probablement plus à partir d'un jeu de mots avec «bahuter» que d'après la manière dont étaient vus les bahutiers.

L'explication la plus savante et peut-être la plus plausible (mais sait-on jamais?) fait remonter bahut au francique *baghôdi*: conservation des choses, où l'élément *bag,* comme dans bagage, désigne un paquet, un tas de choses ramassées, et l'élément *hôdi,* qui deviendra hus ou hut, l'action de conserver, de cacher, de protéger.

Quoi qu'il en soit, le bahut était un coffre, bâti robuste pour résister aux déplacements. Assez gros et rustique pour être comparé à un tonneau puisque «bahuté», au quatorzième siècle, s'emploie pour dire: mis en fût. Mais il signifie aussi: gâté par le cahotement d'une voiture. L'idée de transport est encore présente aujourd'hui quand on dit bahut pour parler d'une grosse auto ou d'un taxi et transbahuter pour déménager. Ce qui laisse à penser que le bruit, sous le bahut, tient plus du beding-bedang d'un joyeux bardassage que du claquement d'un couvercle rabattu.

Quand le bahut voyageait, on pouvait, en toute sécurité, lui confier les vêtements du dimanche et les objets de valeur ou fragiles. Devenu sédentaire, si l'on peut dire, il s'est installé dans les chambres; aussi dans les antichambres où les courtisans attendaient audience, de sorte qu'on a dit autrefois «piquer le bahut» pour exprimer le fait de poireauter chez quelqu'un d'influent. Enfin, le bahut va passer dans la salle à manger où il se transformera en buffet, conservant cependant sa lourdeur, son caractère essentiellement utilitaire et sa solidité d'origine. Large et bas, il convient bien au linge de table, serviettes et nappes religieusement repassées, belles pièces de vaisselle et autres trésors du ménage attendant, à l'abri de la poussière et des envieux, les grands jours pour sortir.

Les aristocrates

DRESSOIR

116

◆

Le dressoir, au contraire, étale ses richesses. Debout sur le buffet, il ne s'embarrasse pas de portes et s'il en a, elles sont vitrées. Il le faut bien, puisque son rôle est d'exposer les objets de table. Au treizième siècle, quand il s'appelait encore *dreçor,* il trônait dans la salle des festins, chargé des pièces d'orfè-vrerie pour la drecie, c'est-à-dire le service de la table. Même rustique, même tout simple, le dressoir, juste dans sa façon de se tenir, conserve de ses origines quelque chose d'aristocra-tique. Normal. Dressoir, de *directus,* est un rejeton de la racine indo-européenne *reg,* exactement comme roi.

ARMOIRE

Mais dans la cuisine, il n'y a pas que le dressoir de nobliau. L'armoire aussi pourrait vouloir redorer son blason. N'est-elle pas parente d'armoiries par leur ancêtre commun, le latin *arma?* Si d'une part, *arma* c'était l'arme qui fera l'armée, l'armure et les armoiries, d'autre part, *arma* désignait l'outil, le harnais, l'ustensile. Dans ce sens, il donnera *armarium* dont le français, hésitant sur almaire, almarie, armarie, finira par faire: armoire. Placard ou meuble, l'armoire peut se trouver partout dans la maison; on y range des papiers, des vêtements, des livres, des produits d'hygiène ou des médicaments, des outils, des aliments, de la vaisselle, même des balais. Ironique-ment, il n'y a pas plus démocratique qu'une armoire.

Nous savons tous qu'une «armoire à glace», c'est un homme grand, fort, impressionnant par sa carrure. Qui res-semble, par la forme et le format, à ces grosses armoires dites normandes. Mais la «glace», d'où vient-elle? D'aucuns assu-rent qu'il s'agit du miroir de porte d'une armoire à linge; d'autres que l'armoire à glace est une glacière, simplement. À vous de choisir! Pas facile: l'expression, selon le *Grand Robert,* étant attestée pour la première fois en 1933, époque où l'on connaissait et la glacière et l'armoire à miroirs.

VAISSELIER

Si armoire est sans doute le terme le plus général pour désigner le meuble de rangement des choses de la table, vais-selier est le plus spécifique. On se voit mal y chercher autre chose que de la vaisselle. Pourtant, il aura fallu quatre siècles (du douzième au seizième) avant qu'on songe à inventer ce mot, qui désigna d'abord le fabricant de vaisselle.

LE LINGE DE TABLE

Les nappes: rituel et étiquette

Mettre la table, c'est d'abord la recouvrir. D'une pièce de linge, appelée nappe depuis au moins le douzième siècle. La

117

NAPPE «nape», à cette époque, c'était aussi cependant à peu près ce que nous appellerons serviette (de table) deux siècles plus tard. Quand elle désignait la toile recouvrant la table, la nappe avait comme synonyme logique: tablier. Il n'y avait pas de confusion, puisque ce que nous nommons tablier aujourd'hui se disait: devanteau.

AUJOURD'HUI	AU MOYEN-ÂGE
• nappe	• nappe ou tablier
• tablier	• devanteau et autres dérivés de «devant»
• serviette	• nappe, napel(l)e

Nappe vient du latin *mappa*: serviette de table, qui est aussi à l'origine de l'anglais *map*: la carte et le plan, et de mappemonde, où l'idée transmise est celle de surface plane, d'étendue.

Les Romains, au cours du repas comme au moment des ablutions, faisaient de leur *mappa* le même usage que nous de notre serviette. Mais au Moyen-Âge, on n'utilisait plus la serviette individuelle à table, même si on se servait toujours du rince-doigts à l'eau aromatisée. Chacun s'essuyait la bouche et LONGIÈRE les mains à la longière, une bande de toile qu'on plaçait, par-dessus la nappe, tout en bordure de la table. Il y avait bien la nappe de format individuel. Chaque invité apportait la sienne, mais elle servait à rapporter chez soi les restes du festin, quand la politesse voulait que l'hôte les offrît.

SERVIETTE À partir du quinzième siècle, le mot serviette entre dans le vocabulaire, puisque l'objet devient à la mode. La serviette sert alors surtout à protéger les vêtements. Au temps des collerettes, elle se porte sur l'épaule ou sur le bras; au temps des fraises, on se l'attache autour du cou. Au seizième siècle, on la place enfin devant chaque convive, pliée de toutes les façons, les plus originales surtout, de manière à évoquer un fruit, un oiseau, une fleur, et souvent parfumée de surcroît. À partir du dix-septième siècle, on la pose sur ses genoux.

118 JOINDRE On a dit que l'expression «joindre les deux bouts», qu'on
◆ LES DEUX emploie généralement en spécifiant qu'on n'y arrive pas, vien-
BOUTS drait de la difficulté qu'il y avait à nouer sa serviette par-

dessus sa fraise. Mais ce n'est qu'au dix-huitième siècle qu'on aurait commencé à dire cela et la fraise n'était plus à la mode. Il est donc plus réaliste de croire que les bouts dont on parle sont depuis le début le commencement et la fin du mois considérés sous l'angle budgétaire.

Mais revenons à la nappe. Longue et blanche, on la trouve déjà sur la table de Charlemagne, aussi bien que sur celle des gens ordinaires. Il y a, dans ce geste de couvrir la table, certainement autant de rituel que de souci d'hygiène ou de protection du mobilier. L'autel — la Sainte Table — est recouvert de nappes pour l'office, pour la communion. Aujourd'hui comme autrefois, on choisit la nappe en fonction du repas. On n'habille pas une table de cérémonie comme on habille celle du petit déjeuner familial. Tout peut compter: la fibre de la nappe, son tissage, sa couleur, ses motifs, ses ornements, ses dimensions. L'étiquette a même déjà fixé le nombre des nappes à superposer sur la table des hauts personnages.

«La table était couverte d'une nappe de toile damassée inventée sous Henri IV par les frères Graindorge, habiles manufacturiers...» écrit Balzac dans *Le médecin de campagne*. En fait, le procédé de tissage dit damassé existait déjà en Italie. Mais les Graindorge ont été les premiers à introduire des motifs et des figures dans le tissage du linge de table qu'on s'était jusque-là contenté de broder, quoique souvent très richement de fils d'or ou d'argent.

TOUAILLE

Ainsi, pour bien distinguer la place d'un seigneur, on pouvait ajouter sur la nappe un napperon: la touaille, d'un mot francique qui donnera aussi l'anglais *towel*: serviette. La touaille, passé le Moyen-Âge, perdra de sa qualité. Elle ne sera plus qu'un essuie-mains commun.

Quand on parle d'une maison où «la nappe est toujours mise», on parle d'une maison accueillante. Car la nappe est bien plus qu'un article utilitaire. C'est un symbole. Du soin et du respect que l'on a envers la nourriture comme envers ceux à qui on l'offre.

119

◆

Par-devant vous

TABLIER

Le tablier, lui, a une fonction strictement pratique. Il protège les vêtements. (Quoique le tablier d'organdi brodé à passements de rubans que j'ai gardé de ma grand-mère m'en fasse un peu douter.)

À sa formation, au douzième siècle, tablier désignait un ensemble de planches et de planchettes, par exemple le plateau des jeux de trictrac ou d'échecs. C'est dans le même esprit qu'il est encore le plancher d'un pont.

Puis, comme on l'a vu tout à l'heure, il a désigné tout naturellement la toile recouvrant une table. À partir de la seconde moitié du seizième siècle, il va prendre le sens qu'on lui donne aujourd'hui, reléguant aux oubliettes le charmant devanteau, que ses trop nombreux synonymes quasi jumeaux: devantail, devantier, devantière, empêchaient de se fixer. Il y avait bien eu un «surcot à manger» médiéval, qui passa quand le surcot ne fut plus un vêtement à la mode.

DEVAN-
TEAU

Tablier a vraiment conservé le sens de devanteau, puisqu'on le définit comme garantissant le devant du corps, seulement. Quand il se fait plus enveloppant, il devient blouse ou sarrau ou bleu ou combinaison. Mais quelle que soit sa forme, il est en quelque sorte l'uniforme de tous ceux dont le travail est salissant, du cordonnier au forgeron, du boucher au menuisier, du serveur au tailleur. À l'époque des corporations médiévales, le tablier est distinctif de la fonction au même titre que l'enseigne de la boutique. Mais, peut-être à cause de ses origines, le tablier reste plus particulièrement lié au service de la table et aux domestiques qui l'assurent. L'expression «rendre son tablier», qui ne date que d'un siècle, véhicule tout à fait l'image du domestique qui refuse de servir plus longtemps, même si on l'applique maintenant à tout travailleur qui démissionne.

BAVETTE

Qui risque plus qu'un cuisinier de se tacher de nourriture, sinon un petit enfant! Aussi tentons-nous de le protéger en lui nouant autour du cou une bavette ou, si on préfère un mot plus moderne, un bavoir. Le bébé français bave depuis le quatorzième siècle.

Il semble que le mot bave ait été créé spécialement pour les bébés. Il fait partie de la série des bambin, bobo, babine, babiole,

BAVARDER

babouin, bobine, babil, de formation expressive dont nous avons déjà parlé. Son v lui viendrait peut-être d'une influence du mot gaulois *bawa*: la boue. Bavarder et bavasser tiennent leur v de bave dont ils dérivent. D'ailleurs *beve,* l'ancêtre, signifiait à la fois bave et bavardage. La distinction s'est faite au cours du quinzième siècle, quand bavard s'est détaché de baveux. Mais c'est encore ce sens de jasette que l'on retrouve dans l'expression «tailler une bavette» où tailler conserve le contexte de parole qu'il avait eu au Moyen-Âge, alors qu'on disait «tailler à quelqu'un» ou «tailler bien la parole à quelqu'un» pour exprimer qu'on savait lui tenir tête, le convaincre. Ne croyez pas ceux qui disent que «tailler une bavette» fait référence au bavardage de femmes occupées ensemble à coudre des vêtements pour leurs bébés: il s'agit d'une fantaisie.

On appelle aussi bavette la partie supérieure d'un tablier, un plastron ou un rabat et, par analogie de forme, plusieurs pièces de métal à usages spécialisés mais surtout, la tablette du cendrier d'un poêle. Le confort peut-il être mieux traduit que par cette expression, aujourd'hui vieillie, toute pleine de somnolence heureuse: «les deux pieds sur la bavette du poêle»?

LA VAISSELLE DU COUVERT

COUVERT

Quand la nappe est mise, on dresse le couvert. Autrement dit, on dispose sur la table les ustensiles et la vaisselle pour le repas.

Ce mot: couvert, n'appartient au domaine de la table que depuis le seizième siècle. Avant, d'abord sous la forme covert, il avait les autres significations qu'il a encore aujourd'hui. Celles d'ombre, d'abri, de cachette, au propre comme au figuré. Le couvert, ce peut être une foule de choses qui servent à recouvrir, dissimuler, protéger. Bien des gens disent encore «couvert» pour couvercle ou couverture, comme on pouvait le dire en ancien français quand ces trois mots n'étaient pas clairement définis.

Mais comment notre couvert a-t-il abouti sur la table? On trouve deux explications dans les livres. Probablement bonnes toutes les deux, puisqu'elles ne se contredisent pas. Et correspondent chacune à des habitudes vérifiées.

121

Encore du poison

La première met en scène des seigneurs craignant pour leur vie. Vous vous souvenez de la crédence? Elle servait au goûteur officiel. Eh! bien, le couvert aurait été créé dans le même charmant esprit. Couvrir les plats destinés au seigneur, c'était non seulement offrir un obstacle à de suspectes manipulations, mais c'était aussi un symbole de garantie, une manière de dire: «Voici, sire, votre plat protégé.» On appelait cette façon de présenter des plats couverts: «servir à couvert».

NEF   On a poussé les mesures de sécurité jusqu'à enfermer dans un coffret spécial, appelé nef au quatorzième siècle parce qu'il avait la forme d'un navire, la vaisselle du souverain, sa serviette et même les épices dont il se servait en assaisonnement. La nef était constamment gardée à vue. Il y avait tout un cérémonial —

ESSAY   l'essai ou essay — impliquant plusieurs personnes de confiance pour ouvrir et refermer la nef, pour goûter le pain, le vin, les viandes, laver, ranger et vérifier la vaisselle. La nef étant soi-

CADENAS   gneusement verrouillée, on l'appela aussi cadenas au seizième siècle. Petit à petit, le cadenas se réduisit à un plateau. Il finit par n'être plus que décoratif, souvent très riche et très élaboré:

SURTOUT   c'était le surtout, né à la fin du dix-septième siècle, ancêtre de nos milieux de table — chandeliers, corbeille de fleurs ou de fruits, bonbonnière, par exemple. L'épreuve de dégustation à la cour de France fut en usage jusque sous l'Empire.

Et des courants d'air

La deuxième explication, plus banale mais pas moins bête, veut que le couvercle sur les plats ait simplement servi à conserver la chaleur. Dans les grandes demeures, les cuisines étaient généralement très éloignées de la salle à manger; c'était plus pratique pour le confort des mangeurs. Pas d'odeurs, pas de fumées, moins de bruit, moins de promiscuité avec la gent domestique, moins de risque aussi que quelque bestiole familière des cuisines ne s'aventure aux alentours de la table. Seul inconvénient: les mets, au cours de leur transport, avaient le temps de refroidir. Mis à couvert, ils restaient chauds.

Tout naturellement, la manière — servir *à* couvert — a nommé la chose — servir *le* couvert. Les choses plutôt. Car à partir du seizième siècle, le couvert désigne tout ce qui sert au repas: vaisselle et ustensiles. Un peu plus tard, quand les ustensiles individuels seront entrés dans l'usage courant, couvert servira aussi à nommer le jeu d'ustensiles de chaque convive.

Comme le couvert d'une personne marque sa place à table, couvert prendra le sens de «place» et même de «convive»: un repas de six couverts, c'est un repas de six personnes. Quand le couvert est dressé, c'est qu'il va y avoir un repas... alors pourquoi le repas ne s'appellerait-il pas, lui aussi, couvert? C'est ce qui est arrivé, au seizième siècle. Dans le langage des grandes maisons, on disait «grand couvert» pour un repas public de grande cérémonie et «petit couvert» pour un repas privé avec moins de petits plats dans moins de grands.

Pourtant, tout en prenant place à table, couvert continue pendant longtemps de garder son sens premier: celui d'abri. Quand La Fontaine écrit: le vivre et le couvert, il veut dire: par vivre: la nourriture et par couvert: le toit. Mais l'expression est perçue comme pléonastique, car vivres et couvert peuvent aussi être des synonymes. C'est pour cela qu'on va remplacer par gîte le mot vivre. Ainsi la même idée est conservée, mais les éléments sont intervertis. Le gîte et le couvert, cela veut dire: le toit et la nourriture.

Comme on le voit, sous le mot couvert, il y a accumulation de sens. Mais ce n'est pas tout ce qu'il y a.

LE VIVRE ET LE COUVERT

LE GÎTE ET LE COUVERT

Ouvrir ce qui était fermé

Regardez bien couvert. Y voyez-vous ce que je vois? Couvert contient ouvert: c(ouvert). Ce qui ressemble à une contradiction, non? Ce qui est couvert n'est-il pas en fait fermé ou du moins caché?

Beaucoup de mots, direz-vous, comportent ainsi leur contraire. Ce sont ceux qu'on a formés en employant un préfixe privatif. Par exemple dis ou dé comme pour dis/semblable, dé/faire; in, im, il, ir comme pour in/fini, im/mature, il/légal ou ir/réel; ou encore mal ou mé comme pour mal/heureux et mé/content. Or, le préfixe qu'on a accolé à ouvert pour en faire couvert, c'est co, et celui-là a normalement une valeur de réunion, d'adjonction: con/frère, co/opérer, com/pagnon, col/lection, com/battre. Couvert aurait donc dû renforcer ouvert.

COUVRIR ET
OUVRIR

Que s'est-il passé? Il y a eu confusion. Et cela, déjà en bas latin. Dans la langue latine classique, ouvrir et fermer se disaient respectivement *aperire* et *operire*. Admettez que ces mots se ressemblent... Puis, il y eut *cooperire*: fermer, cacher ou dissimuler complètement, où le préfixe co tenait son rôle normal. On avait donc deux verbes pour dire fermer: *operire* et *cooperire*. *Cooperire* plut plus et l'emporta. Il deviendra couvrir. Quant à *operire*, qui n'était plus franchement utile, il aurait dû disparaître; au lieu de cela, il prit le sens d'*aperire* qui, lui, fut éliminé. *Operire* devint ouvrir. La confusion s'explique donc par la paronymie.

Mais ce qui est assez amusant, c'est de constater qu'au bout du compte, la contradiction ressort sur la table où le «couvert», dressé, étalé, exposé à la vue de tous, n'a plus rien du tout à cacher!

À quelques reprises, la langue savante, retournant aux sources classiques, se servira de *aperire*. Entre autres pour créer apéritif.

Si le mot couvert, qui au seizième siècle désigne les articles de table dans leur ensemble, attend le dix-septième pour englober les sous-ensembles individuels, c'est simplement qu'il attend leur apparition dans les mœurs courantes. La mode, quoi! Et la mode, c'est la cour de Louis XIV qui la fera. Il ne faut pas s'étonner que le couvert individuel arrive si tard. Après tout, ce n'est qu'à cette époque que le mot individu acquiert son sens moderne de personne particulière. Mais cela est une autre histoire.

* * *

Dans le sillage du vaisseau

Qu'ont de commun, dites-moi, le vase, la barque, le seau, l'écuelle, la veine, la ruche, la cuve et le cercueil? Eh bien! simplement, ce sont des contenants. Et malgré leur diversité — leur disparité même — de forme et d'usage, ils pouvaient tous, en français du douzième siècle, être nommés: vaissel.

Vaissel était donc un mot très général. On l'avait tiré directement du latin *vascella,* diminutif pluriel de *vas, vasis.* Au singulier, *vas,* c'était le vase, le pot, l'ustensile; au pluriel, c'était le service de vaisselle, l'ensemble des ustensiles du ménage, voire le mobilier, et même le barda du soldat. C'est ce sens collectif qui va prévaloir et nous dirons *vaisselle* et *vaisselement* pour parler de la collection des récipients de table, plus particulièrement de l'argenterie.

Puis le vaissel médiéval va évoluer. Il va perdre quelques significations, celle de cercueil, celle de ruche. Ses dérivés vaisselet (petit vase) et vaisselée (contenu d'un récipient) vont disparaître. Au quatorzième siècle, il va changer de finale, et comme le martel qui devient marteau ou le mantel, manteau, voilà vaissel qui devient vaisseau. Mais ce qui est intéressant, c'est que cette nouvelle forme ne chassera pas l'ancienne, qui pourra elle aussi se transformer et se spécifier. Ainsi naîtra vaisselle, au féminin, avec le sens collectif que nous employons encore aujourd'hui: la vaisselle, c'est toujours un ensemble. Quant à vaisseau, il sera réservé à des objets individuels: le navire, le récipient, l'artère.

VAISSEAU

VAISSELLE

Au seizième siècle, retournant aux origines, on va créer vase. Au dix-septième siècle, le vaisseau sanguin va se donner l'adjectif vasculaire. Au dix-neuvième, inspirée de l'italien, va apparaître la vasque.

VASE

VASQUE

Et puis, au vingtième siècle, le vaisseau cesse de prendre la mer pour se propulser dans les airs: c'est le vaisseau «spatial». Comme récipient de ménage, il est complètement usé; on ne le trouve plus que dans des parlers régionaux ou dialectaux, par exemple en québécois traditionnel ou en provençal. En somme, de toutes les fonctions qu'il remplissait à l'origine, le vaisseau n'en garde réellement qu'une, très spécialisée et tout à fait vitale: il canalise la circulation de la sève ou du sang.

Partages à l'amiable

Au Moyen-Âge, on ne se servait pas d'assiettes individuelles. Elles avaient existé chez les Grecs et les Romains mais leur usage était disparu. On utilisait plutôt le tranchoir, appelé aussi tailloir. Trancher et tailler ont longtemps été employés l'un pour l'autre. On dit encore en région tailler le pain. En Acadie, par exemple, «taille» s'emploie encore pour tranche: taille de pain, taille de jambon, taille de concombre. Le tranchoir ou tailloir était un plateau de bois ou de métal, mais le

TRANCHOIR
TAILLOIR

125

plus souvent, une tranche d'un pain plus compact que le pain ordinaire et confectionné exprès pour recevoir les viandes. Ce pain tranchoir, on ne le mangeait pas. Mais on pouvait le réserver pour le repas des pauvres.

TRANCHER
COMPA-
GNON
COPAIN

Même si trancher c'est à la lettre couper en trois, le tranchoir, on se le partageait à deux. Entre compagnons. Car c'est cela un compagnon, une compagne, un copain: celle ou celui avec qui on partage le pain: com/paing. Ce sont des mots venus du bas latin d'origine militaire, reprenant exactement l'idée d'un mot gotique, employé par les mercenaires germaniques des armées romaines, pour dire soldat: *gahlaila,* c'est-à-dire avec/pain. Les Germaniques voyaient donc essentiellement le soldat comme étant celui avec qui on partage la ration. Le pain est un symbole puissant. Partager le pain, c'est partager la vie, partager son âme. C'est le sens de nombreux rites religieux, c'est le sens du repas communautaire. Les compagnons d'armes, les compagnons artisans du Moyen-Âge étaient liés par une solidarité indéfectible. Copain et compagnon ont aujourd'hui beaucoup perdu de leur force. Compagnie aussi, d'ailleurs. On n'emploie plus guère compagnie comme synonyme de famille, de groupe ou d'assemblée, sauf dans quelques cas, par exemple: compagnie théâtrale. Le mot a surtout un sens commercial.

ÉCUELLE

Un peu plus tard, toujours à la table médiévale, l'écuelle remplacera ou accompagnera le tranchoir. Elle aussi, on la partage à deux, le plus souvent homme et femme. Il ne s'agit pas du récipient grossier que le mot laisse imaginer aujourd'hui. Elle est souvent d'une matière précieuse. En fait, c'est une assiette creuse qui n'en porte pas le nom, et si on remonte à sa souche latine, *scutella,* c'est un plateau, une soucoupe, un bol ou une tasse! Il reste que l'écuelle est certainement une pièce maîtresse de vaisselle, puisqu'on prendra la peine de nommer écuellier le meuble où l'on range la vaisselle.

ÉCUELLIER

On n'utilise plus couramment le mot écuelle — sauf pour parler de l'assiette du chat ou bien de façon péjorative en se moquant un peu. Mais le mot a servi très longtemps. Et dans plusieurs expressions, aujourd'hui vieillies, écuelle faisait référence à l'argent, au profit.

126

L'écuelle, chez les soldats et les matelots, prend le nom de gamelle au seizième siècle. Il s'agit d'une écuelle assez grande

◆ **GAMELLE**

pour servir quatre à six hommes. Le mot a été pris à l'italien qui l'avait emprunté de l'espagnol *gamelle* et remonte jusqu'au latin *camella*: coupe, vase à boire. Ce *camella,* on le soupçonne d'être un jeu de mots avec *camelus,* le chameau! Aujourd'hui, la gamelle est un récipient individuel, en métal, avec couvercle. Idéale pour le camping, la gamelle n'est en quelque sorte jamais sortie de sa campagne.

Une place pour chacun et chacun à sa place

On commence à parler d'assiette pour désigner une pièce de vaisselle quand on cesse de partager l'écuelle. C'est-à-dire au cours des seizième et dix-septième siècles, progressivement, depuis les châteaux chic jusqu'aux humbles chaumières. Ce n'est pas question de forme, puisque les premières assiettes étaient creuses comme les écuelles et qu'on avait le mot plat depuis le quatorzième siècle pour nommer la vaisselle à fond plat.

Ce qui caractérise notre assiette, c'est qu'elle est individuelle. Et ça, à cette époque-là, c'est nouveau.

Mais le mot ne l'est pas. Il existe déjà en ancien français.

ASSIETTE · · · Assiette — comme asseoir (qui se disait aussi assire), seyant, préséance et bienséance, selle et siège, posséder, sédentaire et sédiment, assidu et résidu, président et résident pour ne nommer que ceux-là, comme aussi l'anglais *to sit*: s'asseoir et *to set*: poser — remonte à la racine indo-européenne *sed*: être assis.

Les sens d'assiette, que ce soit dans le domaine de la navigation, de l'équitation, du droit fiscal, de la construction ou de la table entre autres, ont tous un rapport avec l'équilibre, la stabilité, l'ordre. Pour rester dans le sujet qui nous intéresse, allons voir ce que raconte le *Grand Robert*.

> ASSIETTE... s'est dit par extensions successives de la place tenue par un convive à table (1393), de la table à laquelle on s'asseyait, du service des repas par les taverniers et cabaretiers «tenant assiette», enfin des plats servis dans un repas.

Ainsi donc, l'assiette, depuis très longtemps, c'est la place de chacun à table. Quand il y eut des plats individuels, on en mit un à la place de chaque convive. Et le plat, par le procédé courant de la métonymie, prit le nom d'assiette, comme l'assiette qu'il se trouvait à marquer. Carême parle ainsi d'un «déjeuner de six assiettes» comme il aurait pu dire «de six couverts» ou de «six convives» ou de «six places».

L'assiette est en somme un plat en place. Mais vous aurez compris que si vous n'êtes pas «dans votre assiette», cela n'a aucun rapport avec votre place à table ou dans le monde. L'expression utilise assiette dans son sens d'équilibre, physique ou psychologique; on dirait aujourd'hui humeur.

«Puis, Fabien bougea.
Il alla vers l'armoire, y prit le sucrier et le pot de lait, et il les mit sur la table. Puis il prit les plats sur la tablette en dessous de la table, et en posa un à la place d'Édith, un à sa place à lui.
Distraitement, il posa un plat à la place où Bernadette mangeait tous les matins, et vit Édith qui le regardait, la main sur la bouche, un grand cri derrière la main.
Alors Fabien hurla un blasphème, et il jeta le plat de trop par terre où il se fracassa (…)
Édith, accroupie par terre, ramassa méthodiquement les miettes de porcelaine.
Puis elle jeta le plat brisé dans l'âtre et prit une autre assiette dans le bahut, et la plaça sur la grande table, à la place où Bernadette avait mangé (…)
«Nous lui devons au moins ça, se dit la fille, d'avoir son plat sur la table encore ce matin. De voir son bien une dernière fois. D'être parmi nous. (…) Il faut le plat sur la table. Il le faut là, devant nous. On ne peut tout briser, enlever une vie, comme ça, d'un coup. Le plat doit rester là… parmi nous, encore parmi nous…»
YVES THÉRIAULT, *La fille laide,* L'actuelle, Montréal, 1971, p. 96.

Trois invités étrangers

BOL

Le bol n'apparaît dans le vocabulaire français qu'au dix-huitième siècle. Il s'agit d'un anglicisme. Le mot est emprunté à l'anglais d'abord à propos du punch, boisson fort prisée des Britanniques qui l'avaient découverte aux Indes. Orthographié *bowl* au début, le bol prit son petit air français vers 1790. On n'y met pas que du punch, mais aussi du café, du riz et, au

Québec, de la soupe. Par la forme, le bol — hémisphérique — tient plus de la coupe que de l'assiette, même creuse. Récupéré par l'argot, bol a les mêmes sens que pot.

TASSE

Si le bol est anglais, la tasse, elle, est arabe: *tasah* et existe en français, dans le lexique courant, depuis le quatorzième siècle, après un détour par l'ancien provençal *tassa*. Quant à la

SOUCOUPE

soucoupe, qui devrait accompagner la coupe plutôt que la tasse, elle est italienne: *sottocoppa*, littéralement sous-coupe. Parce qu'au début, au dix-septième siècle, la soucoupe était un bassin destiné à contenir des coupes et des carafes. Logiquement, la

SOUTASSE

soucoupe qu'on place sous une tasse devrait s'appeler soutasse, comme c'est d'ailleurs le cas en Belgique et en Suisse. Le mot existe, il n'en tient qu'à chacun de s'en servir.

On ne peut parler de soucoupe sans penser ovni. Cette soucoupe-là, la volante jamais identifiée, est une traduction de la locution anglaise *flying saucer* où *saucer* est employé par analogie de forme. Il faut donc que quelqu'un en ait vu? La soucoupe volante a produit, dans les années 60-70, un incroyable «soucoupiste»: partisan de l'existence de ces appareils extra-terrestres.

*   *   *

Complétons maintenant nos couverts. Car il manque encore à la place de chaque convive les récipients à boire, les verres, pour employer le terme le plus général.

La fabrication du verre était déjà connue des Égyptiens du Haut-Empire et des Phéniciens. On ne sait pas au juste quand on eut l'idée de se servir du verre pour façonner des récipients,

VERRE

mais, chose certaine, le verre à boire existait sur la table romaine. Le latin le nommait *vitreum*, d'après *vitrum*, le matériau, dont nous ferons vitre et verre.

L'industrie du verre existait en France depuis le septième siècle, mais il a fallu attendre le douzième pour que le mot verre (parfois écrit voire et voirre) soit aussi attribué au récipient à boire. Le Moyen-Âge, qui affectionne pourtant beaucoup le métal, dresse sur ses nappes des coupes de verre à côté des hanaps d'argent. Quelques siècles plus tard, au dix-septième, les verres de table sont des produits si communs qu'on les vend à la criée dans les rues.

Les jeux de la métonymie

Sans doute par effets de transparence, dans le labyrinthe du verre à boire, les jeux de glaces de la métonymie font se confondre objets et reflets! Jugez. Ici, le matériau de verre se moule en contenant. Là, ce contenant, épousant de nouvelles matières, produit d'étranges mutants, «verres» de plastique, de carton, de faïence, de métal. Plus loin, le contenant se mêle à son contenu, et le verre se liquéfie: on le boit. Tandis que là-bas, des objets divers prêtent leurs formes et leurs noms à des verres contenants-contenus. Ainsi, dans ce pays des merveilles multipliées, des bulles dansent-elles dans des flûtes, le rouge déborde-t-il des ballons, et peut-on boire les tulipes comme avaler son dé à coudre...

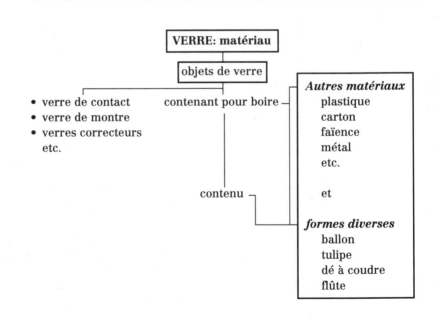

«L'usage de laisser sur la table les verres et les bouteilles ne date guère que de 1760. Le marquis de Rouillac, mort en 1662, aurait été le premier à se passer de domestiques.»
Extrait de *Le grand livre du vin,* sous la direction de JOSEPH JOBÉ, Édita, Lausanne, 1969.

Question de forme

COUPE

Le verre a un pied ou n'en a pas; s'il n'en a pas, c'est un verre plat. La coupe en a toujours un, plus ou moins long, mais ce n'est pas son pied qui fait la coupe. C'est sa forme plutôt: la coupe s'oppose au verre en ce qu'elle est plus large que profonde. Quant à son nom, il ne lui vient pas comme on pourrait le croire de ce qu'elle aurait été à l'origine une sphère coupée, mais bien de *cupa,* mot latin pour tonneau, barrique ou cuve de bois. La coupe, prenant de l'âge, a pris aussi de la délicatesse.

LA FÊTE DES COUPES

«Démophoon, paisible héritier du trône d'Athènes,... accueillit... chez lui Oreste, après le meurtre d'Égisthe et de Clytemnestre.
«Cependant il eut un scrupule, et ne voulut pas admettre tout d'abord ce parricide à sa table. Il s'avisa de le faire servir séparément; et, pour adoucir cette espèce d'affront, il ordonna qu'on servît à chaque convive une coupe particulière, contre l'usage d'alors. En mémoire de cet événement, les Athéniens instituèrent une fête où... il y avait autant de coupes que de convives. Elle s'appelait la fête des Coupes.»
P. COMMELIN, *Mythologie grecque et romaine,* Garnier Frères, 1960, édition France-Loisirs, p. 310.

Produits germaniques

HANAP

Comme la coupe, le hanap était monté sur pied. Était, car on n'en trouve plus sur nos tablettes ni sur nos tables. Il s'agissait d'un grand vase à boire, à couvercle, en métal. Très en vogue au Moyen-Âge, le hanap a inspiré maints artisans. Certains hanaps étaient de véritables œuvres d'art: en or, en

131

◆

argent, ciselés, sertis. Comme son nom, l'objet venait des régions germaniques. En francique, *hnap,* exactement comme *napf* aujourd'hui en allemand, signifiait écuelle, au départ.

BOCK
CHOPE

Toujours du Nord-Est, pays de la bière, nous viendront plus tard, au dix-neuvième siècle, le bock et la chope. Il s'agit de récipients cylindriques, souvent munis d'une anse, conçus exprès pour boire la bière en établissement. Leur capacité est donc mesurée en fonction du commerce. Le bock contient environ 1/4 de litre. Son nom vient de l'allemand *bockbier,* lui-même altération de *Einbeckbier*: bière d'Einbeck. Quant à la chope, c'est un produit dialectal de l'allemand *schoppen*: mesure de liquide, dont nous avons aussi fait chopine. À l'origine, la chope était faite d'un matériau plus grossier que le verre, métal ou grès surtout. Aujourd'hui, on trouve des chopes plus délicates, moins lourdes à soulever. Parfois, comme son ancêtre le hanap, la chope comporte un couvercle, à charnière.

Pas de pied pour le bock ni la chope; non plus, en règle générale, que pour le gobelet.

La tasse d'Astérix

GOBELET

Le gobelet est gaulois, très probablement, et passé par le provençal. Il s'agit d'un petit… gobel ou gobeau. Gobelet et gobel existaient au treizième siècle, et c'étaient des coupes. Au dix-septième siècle, Furetière définit ainsi le gobelet dans son *Dictionnaire universel*: «tasse qui sert à boire, qui est ordinaire de figure ronde sans pied ni anse». À l'époque de Furetière, on appelle aussi «le gobelet» le service de bouche du roi. Gobelet remonte à *gobbo*: la bouche, comme gober, se goberger, que nous avons déjà vus, et comme d'autres mots régionaux, argotiques ou vieillis. Ainsi gobet: une bouchée, un gobelet ou une personne crédule; gobeter: manger les bons morceaux; gobelotter: boire beaucoup, dans les cabarets surtout; gobichonner: festoyer, faire un bon repas; gobette: l'alcool et le verre d'alcool. Gobelet a tout de même un sens assez étendu, puisque gobeleterie se dit des verres en général et de leur fabrication.

TIMBALE

Quand un gobelet de métal ressemble à une timbale, c'est ce nom-là qu'on lui donne. Tout simplement. En toute analogie, comme on le fait pour le moule à vol-au-vent. Tout en haut du mât de cocagne, entre autres objets qu'il faut grimper chercher pour gagner un prix, il y a la timbale d'argent. C'est elle qui nous est restée dans l'expression «décrocher la timbale», c'est-à-dire, comme «gagner le gros lot», obtenir une chose, un résultat, un avantage très convoité.

Cet avantage, les Allemands le symbolisent par un oiseau et les Anglais par un cochon! En effet, «décrocher la timbale» est rendu en allemand par «abattre l'oiseau» et en anglais par «rapporter le *bacon* — le lard — à la maison».

Le Gobelet, service de bouche du Roi, avait pour tâche exclusive le soin du couvert du Roi. Il s'agissait pour le personnel de s'occuper de préparer, laver, dresser et ranger le linge, la vaisselle, les ustensiles, les verres du Roi, et de choisir, préparer, servir et desservir le pain et le vin réservés au Roi. Pour ce faire, le gobelet employait:

— 1 Grand Pannetier
— 12 sommeliers
— 4 aides
— 1 garde-vaisselle
— 2 porteurs
— 1 lavandier

D'après A. DUBARRY, *Histoire anecdotique des aliments,* Paris, 1880. Cité dans *Histoire naturelle et morale de la nourriture,* de MAGUE-LONNE TOUSSAINT-SAMAT, Cultures, Bordas, Paris, 1987 p. 185.

LA VAISSELLE DU SERVICE DE TABLE

Les plats

PLAT

Elle est étonnante, la variété de plats qu'on peut trouver dans le vaisselier. Un plat pour chaque sorte d'aliment, ou presque! Plus étonnant encore, les plats ne le sont pas toujours.

Pourtant, c'est bien sûr du fait d'être plat que l'objet a d'abord tiré son nom, comme le rond de serviette du fait d'être rond, bien qu'on en découpe aujourd'hui en carré, en losange ou en hexagone!

En dehors de la table, le plat a toujours son sens d'origine — hérité par le grec des vieilles langues indo-européennes —

FAIRE DU
PLAT

de surface unie: le plat de la main, le plat d'une lame, le plat d'une reliure. Tous parents de la plante des pieds, de la plaine et du plan. «Faire du plat», qui signifie flatter, flirter avec insistance et généralement... platement, remonte à une locution maintenant disparue: le plat de la langue, qui désignait les belles phrases, les beaux discours; et jouer du plat, c'était prononcer des paroles mielleuses, doucereuses. À rapprocher bien évidemment de lécher, au sens propre comme au sens figuré.

Des plats pas plats mais des plateaux plats

PLATEAU

Mais à table, l'objet plat sert aussi de récipient aux aliments. C'est cette dernière caractéristique qui va finir par prendre le dessus. C'est pourquoi on nommera plats même des pièces de vaisselle pas plates du tout, des assiettes creuses ou «profondes» comme disent les Belges, pourvu qu'elles puissent recevoir quelque nourriture. Le plateau, lui — le platel du douzième siècle —, est toujours resté vraiment plat; il sert cependant plus de support que de récipient. C'est cette légère distinction que nous faisons quand, par exemple, nous remplaçons par plateau le mot plat dans l'expression «sur un plat d'argent».

Qui est plat, qui ne l'est pas?

Il y a donc des plats plats et des plats creux, de formes diverses, adaptées à leur fonction. Les plats portent souvent un nom dérivé de celui de l'aliment pour lequel on les a conçus. Le ravier pour les raves (c'est-à-dire les légumes à racine comestible) et par extension pour les hors-d'œuvre; le compotier pour les préparations à base de fruits et les fruits crus; le légumier; le saladier; le beurrier.

Mais vous ne classeriez probablement pas dans la catégorie «plats» la théière, la cafetière et l'huilier, puisque ce sont des récipients pour des liquides. Vous le feriez pourtant sans doute pour la saucière, la soupière ou le toupin des Provençaux, c'est-à-dire le pot à lait... Vous le feriez aussi pour le sucrier, mais vous voilà hésitants pour la salière et la poivrière. Le sel et le poivre ne sont pourtant pas plus liquides que le sucre.

On ne peut donc pas simplifier en disant que le plat est réservé aux aliments solides, ce qui exclurait la saucière et la soupière et inclurait la salière et la poivrière.

◆

Qu'est-ce qu'un plat?

Alors comment définir le plat? Dire qu'il s'agit d'une pièce de vaisselle plus grande que l'assiette ne suffit pas. Couramment, ce que nous nommons «plat», c'est un récipient pour le service des aliments dont l'ouverture, quand il n'a pas la forme d'une assiette, est assez grande pour laisser passage à la main ou à des ustensiles. Ainsi peuvent entrer dans la catégorie des plats le sucrier, le moutardier, la bonbonnière. Et n'y entrent pas les récipients à col étroit, à bec long, ni les burettes. Le plat pourrait-il être un pot? Nous verrons cela tout à l'heure.

Les pieds dans le plat

Espérons que le plat soit vide si un maladroit vient à y mettre les pieds! L'expression «se mettre les pieds dans le plat» (au Québec, on entendra plutôt dans «les» plats) ne date que de deux cents ans; pourtant, on ne se souvient pas bien de l'idée d'origine. À première vue, on imagine le convive grossier, renversé sur sa chaise et les pieds sur la table; un faux mouvement, les voilà dans les plats. De quoi «renverser les haricots», comme disent les Anglais pour qui «se mettre les pieds dans le plat» se traduit par *to spill the beans!*

Mais on pense aussi que «plat» renvoie plutôt à la mare, à la flaque d'eau que plat a déjà signifiée. Alors, mettre les pieds dans le plat (le pluriel n'est plus possible ici) revient à exprimer la maladresse de l'étourdi qui, le nez en l'air, ne sait pas éviter les situations ou les sujets délicats que tout le monde s'entend à contourner. Il est difficile de trancher, car chacune des explications attribue à la gaffe (ce mot-là aussi a rapport avec l'eau) une cause différente mais logique: l'indélicatesse, la grossièreté dans le premier cas, la distraction, la gaucherie dans le deuxième.

Plat, comme la plupart des noms de récipients, signifie aussi son contenu. Et comme on boit le verre, on mange le plat! Ce plat-là est synonyme de mets.

Et les plats se multiplient

LES PETITS PLATS DANS LES GRANDS

Quand on offre un repas de cérémonie, on met, très concrètement, «les petits plats dans les grands». C'est-à-dire ou bien les petits récipients dans de grandes assiettes, ou bien, et plus probablement, les mets fins — des entrées nombreuses, par exemple — sur des plateaux, ces petits plats-là étant comme celui dont on parle quand on dit «mijoter un bon petit plat». L'expression est intéressante en ce qu'elle joue sur la métonymie contenant-contenu.

PLAT DE RÉSISTANCE

Dans la locution «plat de résistance», le plat, très clairement, est un mets.

Au fait pourquoi «résistance»? Il s'agit ici d'un rapprochement avec solidité et robustesse. D'un corps en santé, on dira qu'il est solide, robuste et résistant. D'une nourriture substantielle, on dira aussi qu'elle est solide et robuste. Pourquoi pas résistante alors? C'est proprement ce que nous signifions par «plat de résistance»: un mets assez nourrissant et assez abondant pour «résister» solidement aux assauts de tous les appétits.

EN FAIRE TOUT UN PLAT

On disait autrefois, de quelqu'un qui donnait trop d'importance à une banalité, qu'il «en faisait trois plats». C'est-à-dire qu'il en faisait tout un repas; le mot plat s'étendait ici non seulement à mets, mais aussi à service, un repas complet comportant alors au minimum trois services. Aujourd'hui, on dit plutôt: «en faire tout un plat». L'idée d'élaboration est au fond la même.

Sous-plats, couvre-plats et caetera

CASSEROLE CAQUELON

On sert parfois le plat avec ses accessoires. Il y en a trois sortes, mais on leur a trouvé une bonne dizaine de noms. Un plat peut avoir un couvercle: c'est la chape, le dessus-de-plat ou le couvre-plat; au lieu de le déposer directement sur la nappe, on peut placer dessous un autre plat ou une plaque: c'est le garde-nappe, le porte-assiette, le porte-plat, le dessous-de-plat et chez moi on dit le «sous-plat»; enfin, le plat peut être servi sur un ustensile destiné à lui conserver sa chaleur: c'est le réchaud ou le chauffe-plats. Et dans ce cas, le plat peut être casserole (le mot est d'origine provençale) ou caquelon (réservé à la fondue, le caquelon est, naturellement, d'origine suisse).

PANIER

Dans quoi met-on le pain sur la table? Dans la corbeille à pain, naturellement. Mais ne devrait-il pas, plus naturellement encore, être déposé dans le panier? Cela se faisait autrefois, puisque le mot panier descend directement de pain, le pan comme on disait au dixième siècle, d'après le latin *panis*.

VAISSELLE PLATE

La «vaisselle plate» s'oppose à la vaisselle moulée comme l'«assiette plate» à l'«assiette creuse». Cela, dans la langue courante. Mais d'un point de vue technique, «vaisselle plate» désigne les pièces faites d'une seule lame de métal, d'une «plate» comme on disait au Moyen-Âge, quand on fabriquait encore des «armures de plates», c'est-à-dire d'écailles de métal. À cette époque, la vaisselle était généralement en métal et souvent en métal précieux. Comme, en espagnol, *plata* désigne l'argent, il y a eu confusion et on s'est mis à nommer «vaisselle plate» la vaisselle de métal précieux, même celle qui n'était pas plate, mais moulée. Aujourd'hui, comme la vaisselle de métal est à peu près disparue et que, si on en trouve, c'est plus souvent en fer-blanc qu'en or ou en argent, la locution «vaisselle plate» a repris le sens que lui donnait Furetière au XVIIe siècle. La «vaisselle plate», eh! bien, elle est... plate.

*   *   *

Les pots

POT   Strictement, plat et pot s'opposent de par leur forme même. Car il y a dans le pot l'enflure, la rondeur d'un radical très ancien, préceltique, qu'on retrouve dans potelé et popotin. Pourtant, le plat s'est étendu jusqu'à certains pots. Pensons au moutardier et au sucrier dont nous avons déjà parlé, mais aussi au crémier — le pot à lait —, au confiturier, et à une foule de petits «plats» qui présentent bien plus une forme de pot, comme les ramequins (mot d'origine néerlandaise) et les cassolettes qu'on porte directement du four à la table.

Mais qu'est-ce qu'un pot?

Le sens de pot est tellement général que sa définition ne nous le décrit pas réellement. Un pot, c'est un «récipient de

137

♦

ménage» pour Robert, un «récipient à usage domestique» pour Hachette, un «vase de terre ou de métal» pour Quillet à quoi Larousse ajoute: «de formes diverses», ce qui n'est pas pour nous aider! Des pots, il y en a partout. On peut presque tout mettre en pot: de la colle, du tabac, des fleurs, des fards, des biscuits ou la poule du dimanche qu'Henri IV souhaitait pour tous ses sujets! «Je veux, disait-il (ou du moins le croyons-nous), qu'il n'y ait si pauvre paysan en mon royaume qu'il n'ait tous les dimanches sa poule au pot.»

Le pot familial

Ce pot-là, c'est la marmite familiale. Dans laquelle mijotent tout au long du jour des légumes et des viandes. C'est ce pot qui donnera potage et potager, popote et potasser. C'est dans ce pot qu'on cuit le pot-au-feu et, comme l'écrivait Rabelais, le pot-pourri, calqué sur l'espagnol *olla podrida,* qui désigne une soupe très élaborée de légumes et de viandes mélangées.

POTAGE
POPOTE
POT-POURRI

C'est ce pot-là qui, parce qu'il n'a pas d'oreilles comme en a le plus souvent la marmite, doit bien être sourd. C'est celui-là entour duquel on va au seizième siècle, autour duquel on tourne de nos jours, reniflant mais n'osant pas exprimer clairement qu'on mangerait bien ce qu'il y a dedans. Bien sûr, «à la fortune du pot», c'est-à-dire en se contentant de ce qui s'y trouve par hasard ou par chance!

Dans la maison, les pots servent surtout aux denrées alimentaires et particulièrement aux liquides. Avant notre ère de consommation du jetable, on pouvait conserver toute une vie les pots de ménage. Aussi faut-il «payer les pots cassés», autrement dit réparer les fautes dont on est responsable, parce que les pots sont drôlement nécessaires. Même vieux, ils servent bien encore; n'est-ce pas «dans les vieux pots qu'on fait les bonnes soupes»?

Les pots de et les pots à

Ouvrons nos armoires. Dans le garde-manger, on trouvera les pots «de», la préposition «de» amenant le contenu: pot de miel, pot de confitures, de marinades, de crème. Dans le vaisselier, il y aura les pots «à», la préposition «à» amenant la fonction, la destination: pot à beurre, pot à lait, à jus, à bière.

Si on vous invite à prendre un pot sans spécifier de ou à quoi, vous entendrez: boire. De la bière ou du vin. Mais si on vous invite à accepter un pot-de-vin, demandez d'abord s'il a des traits d'union.

POT-DE-VIN

Aujourd'hui, le pot-de-vin, c'est de l'argent ou des avantages monnayables. À l'origine, il s'agissait réellement de vin et réellement aussi d'un petit cadeau offert en douce, un «dessous de table», un supplément, lors d'un marché plus ou moins légal. Le pot-de-vin s'est déjà appelé, paraît-il, «vin du marché» et servait pour rémunérer l'intermédiaire dans une transaction.

Le pot chanceux

Pourquoi le pot est-il aussi de la chance? Cela viendrait du vocabulaire des joueurs de cartes. La somme des enjeux, aux cartes, se dit «pot» aussi (et on fait sonner le t final parfois), d'après le «pot d'aumônes» ou «pot de confrérie» dans lequel les religieux recueillaient le produit de leur quête. Il s'agit donc d'un petit tas d'argent. Qui remporte le pot a donc eu de la chance.

Portrait-robot du pot

Tout cela ne dit pas à quoi ressemble un pot! De par son étymologie, nous savons qu'à l'origine du moins, le pot était arrondi. Nous savons qu'il peut avoir un couvercle, par le proverbe «Il n'est si méchant pot qui ne trouve son couvercle» (même laid, on peut toujours trouver un compagnon ou une compagne). Nous savons aussi que le pot a d'abord été façonné à partir d'argile, puisqu'il a donné le mot poterie. Et qu'il y en avait en fer, d'après le titre de la fable de La Fontaine: *Le pot de terre et le pot de fer*. L'enquête avance.

POTERIE

Pour la continuer, faisons des comparaisons. Nous ne confondrions pas un pot et une bouteille. Pas à cause de la hauteur: il y a de hauts pots et de courtes bouteilles; mais à cause de l'ouverture: la bouteille a un goulot, pas le pot!

Comparons maintenant le pot et la boîte. Qu'est-ce qui les distingue? Pas le matériau, puisque s'il n'y a pas de pots de carton, il y a des boîtes de verre et de métal! Pas la présence d'un couvercle, le pot en a souvent. La forme, alors? Non plus, puisqu'il y a des boîtes rondes comme des pots! Les propor-

139

◆

tions? Tiens, peut-être... En règle générale, nous hésiterions à nommer pot un récipient dont la hauteur serait très inférieure à la grosseur, comme nous hésiterions à nommer boîte un récipient à couvercle vissé ou à parois renflées.

Un peu de paresse?

Nous aurions beau tâcher encore de préciser notre description, nous ne pouvons, pour être exact et inclure dans notre définition tous les genres de pots, que nous en tenir au général. Cela était vrai pour les verres, pour les plats, ce le serait pour les paniers ou les chaudrons. C'est que nous tendons à étendre le sens des mots à la fois par ignorance des termes précis et par paresse, sans doute aussi pour la commodité de la communication quotidienne. Rien qu'entre nous, il est heureux que notre compréhension des mots soit plus précise que notre expression, que soit grande et rapide notre adaptation aux contextes. Ce qui nous permet, par exemple, de choisir d'instinct le bon récipient quand il s'agit... de mettre bébé sur le pot.

* * *

Les récipients à liquides

Les liquides qu'on verse, comme l'eau, le vin, l'huile, le vinaigre, sont servis à table dans des récipients bien particuliers. Leurs caractéristiques? L'étroitesse de l'ouverture, la présence d'un col ou d'un goulot et, éventuellement, d'une anse ou deux et d'un bec. Ce qui les différencie sans l'ombre d'une hésitation de tout ce qui pourrait s'intituler «plat».

Cela a l'air d'une évidence. Mais, si on y réfléchit un peu, il y a dans ces différences beaucoup d'invention et de raffinement, suscités probablement par quelques siècles d'éclaboussures.

Il fallait y penser, aux anses qui facilitent la prise, au goulot qui régularise l'écoulement et au bec qui le dirige! Et l'on y a pensé très tôt. Explorées par l'archéologie, les plus vieilles civilisations du monde nous ont livré des vases aux formes étonnamment contemporaines. Et comme on dit dans les récits, «seuls les noms ont été changés». Nous ne nous servons plus de cratères, d'aiguières, d'amphores, de buires, de lécythes ni d'hydries. Mais nous avons des cruches et des pichets, des bouteilles et des fiasques, des carafes, des flacons et des burettes.

On a vu plus raffiné

CRUCHE

La cruche — le cruchon ou la cruchette — vous a, on dirait, un petit quelque chose de brut, de rudimentaire. Est-ce dans sa sonorité, héritée d'un mot francique: *kruka*? Est-ce dans son matériau, grès ou argile, grossier généralement? Toujours est-il qu'on n'aurait pas idée d'appeler «cruche» un récipient même de forme semblable — à deux anses, col étroit, bien pansu — qu'on aurait façonné dans l'argent, l'or ou le cristal. Pas plus qu'on n'aurait envie de placer des cruches sur une table d'apparat.

Au propre comme au figuré, une cruche, ça n'est jamais raffiné, raffiné... C'est depuis le dix-septième siècle que la cruche désigne aussi une personne nigaude. Mais plus vieille encore est l'idée de la cruche cassable, vous savez, celle du proverbe «Tant va la cruche à l'eau qu'à la fin elle se casse», tellement connu qu'on se contente généralement de n'en citer que la première partie. Ce proverbe existait déjà au treizième siècle, sous les formes «Tant va le pot au puis que il quasse» ou, comme dans le *Roman de Renart,* à la même époque, «Tant va pot à l'eue que brise».

Encore un petit coup

PICHET

Ce qui fait le pichet, c'est son bec, évasé. On ne peut pas boire directement au pichet, comme on peut le faire — quoique inélégamment — à la cruche ou à la bouteille, parce qu'il n'a pas de goulot. À l'origine, le pichet a une forme de broc, mais sur nos tables on en trouve souvent des cylindriques, comme celui destiné au jus du matin.

Le mot a subi l'altération commune du b en p. Il remonte en effet au grec *bikos*: vase à boire de type amphore, devenu *becarius* en bas latin puis *picarium* en latin médiéval. De sorte que ce que nous appelons maintenant pichet se disait, selon les dialectes, bichier, biché, enfin pichier en ancien français. Balzac l'écrit piché. On peut rattacher pichet à la grande famille des mots à base pik-pich-poch sous lesquels pointe l'idée du petit coup; comme dans piquer, picorer, pochard que nous avons déjà vus.

141

Un vieux tonneau

BOUTEILLE   Ce qui fait la bouteille, c'est le verre le plus souvent, le goulot, plutôt long et étroit, l'absence d'anse. Elle a toute latitude quant au format. Ainsi, l'ancêtre le plus lointain qu'on lui attribue avec certitude, c'est un tonneau: un *buttis,* du latin populaire diminué en *butticula.* Ce *buttis*, que certains rattachent à un radical boutt exprimant le renflement, descendrait, selon d'autres, d'un mot latin, *buttem*: petit vase. Et les dimensions de la bouteille continuent d'être élastiques au cours du douzième siècle quand, sous la forme bot ou boute, elle représente aussi bien le tonneau réservé à l'eau douce à bord d'un navire qu'un vase de table. C'est à cette époque qu'apparaît la forme botele. En Anjou, on dira boutille pour désigner la gourde de voyage. C'est dans le nord de la France, où se développe principalement l'industrie du verre, que le sens de bouteille va se spécifier, se distinguer de formes comme bot(t)e, qui désigne toujours, au quinzième siècle, un tonneau. Ce «bot(t)e»-tonneau, il ne faut pas s'étonner de sa disparition: ses homonymes étaient — sont encore — tellement nombreux que la confusion devait guetter au tournant de bien des phrases! Ainsi, bote, en ancien français, désignait aussi bien un crapaud, un coup, une chaussure, une gerbe qu'un tonneau. Bien sûr, toutes ces «botes» ne sont pas de même origine et n'ont pas voyagé par les mêmes chemins. Mais il reste que l'apparition de bouteille a dû clarifier quelques situations.

La bouteille est associée particulièrement au vin. Boire une bonne bouteille, c'est boire un bon vin. Laisser sa raison au fond d'une bouteille, c'est s'enivrer. Et ouvrir une bouteille sans spécifier de quoi, c'est certainement ouvrir une bouteille de vin.

D'après *Le grand livre du vin:* «À partir du 16e siècle, les récipients de verre s'introduisirent dans les intérieurs aisés. Le mot «bouteille» commença à prendre le sens bachique qu'il conservera désormais.

«... Au 17e siècle, quand l'usage de la bouteille devint fréquent, on la nommait flacon, carafe, carafon, gourde, etc..., alors que le terme de bouteille servait spécialement à désigner un récipient contenant du vin.»

Vous «prenez de la bouteille»? Vous voilà comparé à ces vins qui, en prenant de la bouteille, c'est-à-dire en vieillissant des années en bouteille, arrivent bonifiés à leur maturité.

À tout seigneur tout honneur! Il fallait au vin de Champagne non seulement des bouteilles spéciales, mais des noms exceptionnels. Voyez:

Contenance	Nom	Origine
2 bouteilles	magnum (s'emploie aussi pour d'autres vins)	du latin *magnus:* grand
4 bouteilles	jéroboam	nom d'un roi d'Israël
8 bouteilles	mathusalem	grand-père de Noé, il aurait vécu 969 ans!
12 bouteilles	salmanazar	nom de plusieurs rois assyriens, réputés bâtisseurs de monuments gigantesques
16 bouteilles	balthazar	dernier roi de Babylone, tué pendant une orgie
20 bouteilles	nabuchodonosor	autre grand roi de Babylone, destructeur du Temple de Jérusalem mais grand constructeur d'autres édifices

Note: Moins bibliquement mais très prosaïquement, on appelle, depuis 1954 officiellement, la bouteille simple de champagne: la roteuse, un nom qui, avouons-le, manque un peu de majesté.

La bouteille familière, ce peut être la boutanche (déformation de bouteille), le kil (abréviation de kilo), le pot, la rouille (on disait autrefois, en vieil argot, la rouillarde, mot rappelant bien sûr la couleur du vin).

CANETTE   La petite bouteille de bière, c'est la canette. Le mot a désigné autrefois la bouteille, en général, et dérive de canne, qui est un récipient pour le transport du lait, dans l'ouest de la France; ce canne existe depuis le douzième siècle et vient du latin *canna:* tuyau et roseau, exactement comme ses homonymes.

143

Jeu d'échec

FIASQUE
FIASCO

Certains vins italiens nous arrivent sur la table en bouteille paillée. C'est la fiasque. Mot d'origine italienne, on s'en serait douté. C'est en fait exactement le fiasco francisé. Quel lien y a-t-il entre fiasque et fiasco? La traduction de *fiasco*, c'est bouteille. Et c'est en passant par l'argot des gens de théâtre que le *fiasco* a abouti à l'échec. Il semble qu'une coutume italienne voulait que, pour dénoncer les débits clandestins de boisson, on suspendît à leur porte, bien en vue, une bouteille. De là, la bouteille serait devenue un symbole de diffamation, de mauvaise critique si l'on pense théâtre, et conséquemment, d'échec.

FLACON
FLASQUE

Mais *fiasco* n'est pas une invention italienne. C'est une adaptation, en passant par le bas latin, d'un mot germanique très ancien, *flaska*: bouteille aussi. Duquel le français fera flacon et flasque. Le flacon est une bouteille de petit format, fermée au moyen d'un couvercle vissé plutôt que d'un bouchon, et de formes très variées. Mais, comme disait Musset, «qu'importe le flacon pourvu qu'on ait l'ivresse» et l'ivresse, elle est certainement aussi bien dans la flasque, ce flacon plat si discret dans une poche intérieure!

Un joyau d'Arabie

CARAFE

Par l'Italie passa aussi la *garaffa* espagnole empruntée à l'arabe *gharrâf*: pot à eau, où elle devint *caraffa* avant d'achever son voyage exotique sur la table française, au seizième siècle. La carafe n'est pas une bouteille commune. Toujours en verre, jamais banale, c'est l'élégance couronnée. Car son bouchon fait sa gloire. Si magnifiquement taillé que la langue familière nomma «bouchons de carafe» les plus gros joyaux des lapidaires. Pourquoi être laissé «en carafe», est-ce être abandonné, oublié, mis de côté? On dit que l'expression serait une «variante expressive» sur le thème de l'eau — vous savez, le projet, le rendez-vous qui tombe à l'eau. C'est peut-être plus simplement une allusion au reste de vin qui, laissé dans la carafe dont le bouchon n'est pas étanche, ne sera plus, bientôt, que bon à jeter.

Service à liqueurs

CABARET

À la fin du repas, on offre les liqueurs. Carafons et verres du service sont présentés dans un coffret ou sur un plateau. Autrefois, au dix-septième siècle, on nommait cabaret (par extension du sens du cabaret-établissement) l'armoire aux boissons, le coffret à liqueurs ou, plus ordinairement, le plateau sur lequel était rangé le service. On n'entend plus cabaret dans ces sens. Sauf au Québec où, malgré les recommandations de l'Office de la langue, on dit encore cabaret pour plateau, n'importe quel plateau servant à la table.

AUTREFOIS, SUR LA TABLE MÉDIÉVALE, ON TROUVAIT:

- le cratère: vase à deux anses, en forme de coupe, pour le vin. Le mot et la chose ont été empruntés aux Grecs. Et le cratère de nos volcans tire son nom, par analogie de forme, de ce vase antique.

- l'aiguière: vase pour l'eau, comme l'indique son nom dérivé de aigue: eau, en ancien français, où se reconnaît l'*aqua* latine. Le mot a fait un détour par l'ancien provençal. Les aiguières faisaient partie du service ordinaire de la table, car nos ancêtres aimaient à boire beaucoup d'eau et se servaient aussi abondamment du rince-doigts. Les aiguières étaient souvent de véritables œuvres d'art en métal précieux.

- la buire: il s'agissait d'un vase à bec et à anse. Le mot hésite, au douzième siècle, entre buire, buhe, bue et bure. On y met de l'eau pour la table. Son origine est francique: *buk* qui voulait dire ventre mais aussi vase ventru. L'ancien français disait aussi buhote pour désigner une petite cruche. Au quatorzième siècle, se crée le diminutif burette que nous employons encore, mais pour nommer plutôt de petits flacons.

- le cyathe: du latin *cyathus* pris du grec *kuathos*, il était dans ses pays d'origine une mesure de capacité. Puis en se francisant, le mot a servi à désigner un petit vase avec lequel on puisait le vin dans le cratère et le versait dans les coupes. Les Gaulois s'étaient déjà servi de cyathes, qui avaient la forme de petites tasses; mais eux y buvaient directement le vin puisé.

145

◆

LES VASES SACRÉS

- calice: le calice est une coupe chez les Romains qui l'appellent *calix,* d'après le grec *kulix.* On le retrouve en français à partir du douzième siècle, et c'est déjà le vase sacré, destiné à la consécration du vin dans le rite catholique. L'expression «boire le calice (jusqu'à la lie)», c'est-à-dire supporter une épreuve ou une douleur jusqu'au bout, nous vient de l'Évangile de saint Matthieu. Le calice de la fleur, c'est-à-dire son enveloppe extérieure, n'a en réalité pas de rapport avec le calice à boire. Il vient aussi d'un mot grec, *kalux.* La ressemblance des deux mots d'origine, comme d'ailleurs la ressemblance de forme entre la coupe et la fleur, ont tout naturellement entraîné la contamination.

- ciboire: le ciboire, lui, a une origine botanique. C'est aussi un mot d'origine grecque, *kiborion,* qui désignait d'une part le fruit d'une espèce de nénuphar, probablement un lotus, et d'autre part la coupe, car le fruit servait à la fabrication de coupes. Du grec, le mot est repris par le latin ecclésiastique, et ciboire est toujours resté dans le domaine religieux. Il s'agit du vase dans lequel l'officiant consacre les hosties.

- patène: on classe la patène dans les vases sacrés, bien qu'elle soit plus une petite assiette qu'un vase. Patène vient du latin *patina*: bassin et plat. Dans sa famille, on trouve par exemple la poêle. Mais aussi la patère! Car la patère était à l'origine elle aussi un vase sacré, une coupe pour les libations, et c'est ce qu'elle était en latin. Comment est-elle devenue un portemanteau? Tout simplement parce que sa base avait la forme d'un pied de coupe...

LES USTENSILES

Quand on partageait son tranchoir ou son écuelle, on partageait aussi les ustensiles. Quand il y en avait. Car, vous vous souvenez, l'usage des ustensiles individuels n'apparaîtra qu'au Grand siècle dans les classes privilégiées et même au dix-huitième chez les gens ordinaires.

En fait, l'hôte médiéval n'a pas vraiment besoin de fournir des ustensiles. D'abord, on mange le plus souvent avec ses doigts, en prenant soin de les rincer régulièrement au cours du repas. Ensuite, non seulement chaque invité apporte son propre couteau, mais l'écuyer tranchant s'occupe de préparer la viande en portions. Pour ce qui est des aliments liquides — on consomme beaucoup de soupes —, on met à la disposition des convives quelques cuillers avec les écuelles.

Vieux coquillage

CUILLER

La cuiller ou cuillère (choisissez!), c'est le *cochlearium* latin, qui tire son nom de l'escargot (*cochlea*). Pourquoi l'escargot? Rien à voir avec la lenteur. Mais plutôt avec la forme en coquille du cuilleron ou bien, comme le pensait le poète Martial (43-104), parce qu'on s'en servait pour manger les escargots. Le mot existe en français depuis le onzième siècle.

De mémoire d'historien, il y a toujours eu des cuillers, et de tous formats. L'Antiquité connaît même la cuiller individuelle. Elles sont d'abord en bois puis, quand leur usage est bien établi, en métal, en matières précieuses, à manche serti de pierres ou sculpté.

Dans un couvert moderne garni, on trouvera la cuiller à soupe (dite aussi à bouche), la cuiller à dessert (dite aussi à entremets), la cuiller à thé et la petite cuiller (dite aussi à moka ou à café), celle à laquelle on fait allusion quand on dit: être «à ramasser à la petite cuiller». C'est-à-dire être liquéfié de fatigue. (La même image se retrouve dans l'emploi familier de l'adjectif liquéfiant pour dire: épuisant.)

Pour le service, il y a la cuiller à sucre, à soda, à moutarde, à... et des cuillers grand format, dont l'indispensable bonne vieille louche.

«Quel geste pourra égaler dans sa densité symbolique celui de la louche plongeant dans le potage pour dispenser à chacun sa ration?»
CHRISTIANE COLLANGE

Regard sur la louche

LOUCHE

Pas de rapport entre cette louche et les yeux, fussent-ils ceux de la soupe. Le regard ou l'individu louche est un rejeton du latin *luscus*: borgne. Notre louche est francique: *lôtja* et elle a déjà à l'origine son cuilleron hémisphérique. En français, cela donnera d'abord louce, puis, jusqu'au seizième siècle, pot-

POCHE
POCHON

louche, autrement dit louche à pot. Dans certaines régions de la francophonie, Suisse, Champagne, Savoie, on l'appelle poche ou pochon, tous deux hérités du bas latin *popia*: cuiller de bois, donc sans lien avec leurs homonymes désignant des sacs, ceux-là dérivés du francique *pokka*.

Quand on dit «il n'y va pas avec le dos de la cuiller», on transmet l'image du mangeur vorace se servant à grandes cuillerées, sans se soucier du jugement des autres sur son absence de manières, de leur «étonnement réprobateur» comme dit Jacques Cellard dans *Ça mange pas de pain*. Il continue: «Maniée dans le bon sens, la cuiller permet de se servir abondamment et rapidement des aliments liquides ou semi-liquides. Dans le mauvais sens («avec le dos»), elle laisse tout échapper. La négation (car l'expression est toujours employée à la négative) ramène, avec une amplification, au premier sens: «se servir sans discrétion d'un mets».

Extrait du traité de savoir-vivre d'Antoine de Courtin, édité en 1671, sous Louis XIV, et destiné aux gens de l'élite.
«Il ne faut pas manger le potage au plat, mais en mettre proprement dans son assiette… il faut toujours essuier vostre cuillère quand vous la mettez au plat, y ayant des gens si délicats qu'ils ne voudroient pas manger du potage où vous l'auriez mise après l'avoir portée à la bouche… et même… en demander une autre. Aussi sert-on à présent des cuillères dans les plats qui ne servent que pour prendre de la sausse.»
Cité dans *La gastronomie, de la Préhistoire à nos jours*, de MARIA LUISA MIGLIARI et ALIDA AZZOLA, Éd. Atlas, Paris, 1982, p. 192.

Tout usage

Le couteau, lui, est pendant longtemps un objet personnel qu'on porte sur soi dans un étui. Il sert à tout et partout. À table, on l'utilise surtout pour piquer les aliments et les porter à sa bouche. Car il a la lame pointue, jusqu'à ce que Richelieu, d'après ce que Pierre Germa raconte, ait imposé par un édit, en 1669, les couteaux à bouts arrondis pour se moquer d'un chancelier de son entourage qui avait l'étonnante habitude, à table, de se curer les dents avec la pointe de son ustensile.

CURE-
DENTS

Pourtant, le cure-dents existait. En fait, le mot existe, et sous sa forme actuelle, depuis le quinzième siècle. Si le cure-dents d'origine était simplement tiré d'une arête de poisson, Castelot nous apprend qu'on en fabriqua ensuite de très ouvragés, en métal serti de pierres précieuses par exemple. On le portait, comme le couteau, à sa ceinture, «parfois accompagné d'un cure-ongles et d'un cure-oreilles montés sur pivot»!

Instruments aratoires

De toutes les expressions comportant le mot couteau, une seule — et elle n'est plus utilisée — renvoie au couteau de table. C'est «mettre couteaux sur table» et cela signifiait soit se préparer à bien manger, soit offrir un délicieux repas. Toutes les autres font référence au couteau comme arme: être à couteaux tirés, enfoncer le couteau dans le cœur, jouer du couteau, mettre le couteau sur la gorge... On peut remarquer en passant que quand le couteau n'est pas sur la table, il a droit à plusieurs noms: coutelas, canif, couperet, poignard, sans compter tous les noms d'épées et d'armes exotiques. Alors que le couteau de table s'appelle toujours bêtement couteau plus «à»: poisson, beurre, fromage, dessert. Mais où et quel qu'il soit, le couteau, avant de servir d'outil, d'arme ou d'ustensile, est un instrument aratoire.

COUTEAU

Étymologiquement, en effet, couteau dérive de *cultellus,* diminutif de *culter,* mot latin pour désigner le fer de la charrue, le coutre. On disait coltel au douzième siècle et coltelet pour un couteau de toilette. Pour nommer le couteau de cuisine, on employait semble-t-il plutôt trenche ou trenchant.

FOUR-
CHETTE

Comme son partenaire le couteau, la fourchette sort tout droit de la ferme. C'est évidemment la «petite fourche», qui trouve son origine dans le latin *furca*: la fourche, le bâton fourchu ou la potence, tout comme carrefour, califourchon ou bifurcation. Fourchette, hors de table, sert à nommer des choses qui, à l'image du bident, présentent deux branches, au concret ou à l'abstrait. Aussi trouve-t-on fourchette dans toutes sortes de domaines, de l'anatomie à l'automobile, de l'économie à l'horlogerie en passant par le jeu de cartes!

La fourchette, comme la fourche, a d'abord deux dents, deux fourchons, et on lui en ajoutera d'autres quand on l'utilisera non plus seulement pour piquer les aliments, mais aussi

149

pour les porter à sa bouche. C'est à la cour d'Henri III, en fait, qu'on commence à faire usage de la fourchette individuelle, mais les mignons ne sont pas suivis: manger avec une fourchette, c'est vu comme une coquetterie ridicule. Il va donc falloir attendre un peu encore. Et bien qu'en Italie la fourchette individuelle ait été répandue dès le quinzième siècle, elle ne le sera en France qu'à la fin du dix-septième. Louis XIV lui-même ne l'utilise pas toujours et mange le plus souvent avec la pointe de son couteau. Ce sont surtout les dames qui se servent de fourchettes.

La fourchette de service, elle, est très vieille. On sait que les Hébreux la connaissaient et on a découvert, lors de fouilles archéologiques en Turquie, des fourchettes de 9000 ans. Au Moyen-Âge, les fourchettes de service deviennent rares, puisque les invités sont servis par l'écuyer tranchant. Aujourd'hui, au contraire, les fourchettes de service se multiplient: à salade, à fondue, à poisson, à huîtres, à dessert. Mais on peut retrouver au restaurant-minute l'agréable simplicité de la «fourchette d'Adam»... la main.

En règle générale, ce sont les aliments solides — ceux qu'on mange avec une fourchette — qui constituent l'essentiel du repas, les aliments liquides, potages, purées, boissons, servant d'accompagnement ou de repas léger. Un déjeuner «à la fourchette», c'est un déjeuner comportant de la viande. On va donc se servir du mot fourchette pour transmettre l'idée d'appétit, de solidité, de consistance. L'expression «être une bonne — ou une belle — fourchette», maintenant un peu vieillie, associait, par l'intermédiaire de l'ustensile, la valeur alimentaire et la solidité de l'appétit. Avec «coup de fourchette», on élargit l'image au geste, et d'autant plus qu'on qualifie le coup: un bon, un sacré, un joli, un solide, un fameux...

PROVERBES

Les proverbes, dont on dit toujours qu'ils sont vieux, savent pourtant s'adapter aux nouvelles réalités. Ainsi, quand la fourchette fut sur la table quotidienne et populaire, elle entra tout naturellement dans la formulation des dictons.

Ainsi:

«La gourmandise tue plus de gens que l'épée»

devint

«*La fourchette tue plus de monde que l'épée*»

et

«Les gourmands font leur fosse avec leurs dents»

devint

«*On creuse sa tombe avec sa fourchette*».

Ustensile est-il outil?

USTENSILE

Mais un ustensile n'est pas qu'une cuiller, un couteau ou une fourchette. Qu'est-ce? Regardons le mot de près. On y devine aisément usage, utile, outil. Tous mots parents puisque tous venus de formes ou de dérivés du verbe latin *uti*: se servir de.

OUTIL

L'ustensile est donc un objet, dont on fait usage, et usage utile. C'est en quelque sorte un outil. D'ailleurs, pendant deux siècles, ostil, forme ancienne d'outil, englobait une foule d'articles de ménage, outils, ustensiles ou appareils. La distinction s'est faite lentement. Molière, qui n'est pas si vieux après tout, inclut même les meubles quand il emploie le mot ustensiles.

Aujourd'hui, la distinction est plus claire. Quoique j'aie entendu ce mois-ci — nous sommes en 1989 — à la télévision quelqu'un expliquer tout à fait spontanément qu'il fallait, et je cite: «préparer tous les outils, tous les ustensiles» nécessaires à… un accouchement! Cela bien sûr paraissait incongru. C'était simplement un emploi d'outil et d'ustensile dans leur sens brut: objets d'utilité, objets nécessaires, celui du latin *utensilia,* toujours pluriel. Ce pluriel désormais caché sous les noms collectifs désignant couramment des ensembles d'objets d'utilité:

MÉNAGÈRE

trousse, couvert, batterie. Ou ménagère, c'est-à-dire ustensiles de table dans leur coffret.

Aujourd'hui, donc, outil et ustensile présentent des nuances importantes, qu'on pourrait résumer en disant que l'outil est un instrument et l'ustensile, un accessoire. Que l'outil est technique et l'ustensile, domestique. Ou encore, sous l'angle qui nous intéresse ici, que l'outil est à l'atelier quand l'ustensile est à la cuisine.

De sorte que la cuiller dans la boîte à outils du plombier ou la louche sur l'établi du verrier ne sont plus des ustensiles. Pas plus que, sur la table, la pelle (à tarte), la scie (à pain), la truelle (à poisson) ou la pince (à spaghettis) ne sont des outils.

Chapitre 5

Symphonie
pastorale

Marie-Chantal raconte à un de ses copains: «Tu te rappelles les Duberger? Tu sais comme ils connaissent bien mes goûts raffinés. Imagine-toi qu'ils m'ont envoyée paître dans une charmante étable végétarienne! Au milieu d'un magnifique petit pacage, pas loin du tout, je t'y emmènerai! Quelle pâture mon cher! Il faut goûter la spécialité du pasteur: l'appât aux herbes fraîches. Succulent! Je m'en suis honteusement repue!»

Décor champêtre

Le vocabulaire de Marie-Chantal nous semble un tantinet trop pastoral... pourtant, il s'en est fallu de peu que nous ne disions pâture pour repas, paître pour manger, pacage pour patelin, pasteur pour cuisinier, appât pour entrée! Car tous ces mots relèvent du latin *pascere, pastus*, dont nous ferons repas, mais aussi toute une série de mots ayant trait à la nourriture du bétail: paître, appâter, repaître et pâturer (pour l'action), pâture et appât (pour l'objet), pâturage et pacage (pour le lieu), pâtre et pasteur (pour le gardien du troupeau, chargé de le nourrir).

REPAS

C'est au douzième siècle que le mot past, dérivé direct de *pastum,* a commencé de s'appliquer plus spécifiquement à la nourriture des humains. (Avant, le mot pouvait désigner aussi bien la pâtée des chiens que le banquet ou la pâture.) À cette époque, la langue populaire disait repast, d'après repaster, c'est-à-dire se repaître. Il y avait encore dans repast une connotation de voracité suivie d'assouvissement. Les deux mots, past et repast, ont coexisté jusqu'au seizième siècle, avec le sens simplifié de nourriture d'abord, puis de repas comme nous l'entendons aujourd'hui. Past disparut quand on cessa de prononcer les consonnes finales, puisqu'il devenait alors homonyme de pas. On garda repas qui perdit son t. Et on retira à repaître son sens de nourrir, d'offrir un repas au profit de celui d'assouvir et de délecter.

Le repas est pris «à heures réglées» comme dit le *Petit Robert*. En règle générale, nous mangeons trois fois par jour; il devrait donc logiquement y avoir un mot pour dire le repas du matin, un autre pour celui du midi, un autre pour le soir. Ce serait bien trop simple pour être français...!

«Les repas... ont commencé avec le second âge de l'espèce humaine, c'est-à-dire au moment où elle a cessé de se nourrir de fruits. Les apprêts et la distribution des viandes ont nécessité le rassemblement de la famille [...] Plus tard, et quand le genre humain se fut étendu, le voyageur fatigué vint s'asseoir à ces repas primitifs, et raconta ce qui se passait dans les contrées lointaines. Ainsi naquit l'hospitalité [...] C'est pendant le repas que durent naître ou se perfectionner les langues [...]

A. BRILLAT-SAVARIN, *Physiologie du goût*

À heures fixes?

«Le monde appartient à ceux qui n'ont pas
d'heures fixes pour les repas.»
ANNA DE NOAILLES

DÉJEUNER

Commençons par déjeuner. Naturellement! Puisque le mot, venu du latin, signifie littéralement rompre le jeûne, déjeûner (bien des gens écrivent d'ailleurs spontanément: le déjeûner, ce qui est une faute, mais pas une bêtise!). C'est exactement le sens du mot anglais *breakfast,* qu'il est donc inutile d'employer en français! Depuis le douzième siècle, où on a dit «se» déjeuner, le déjeuner désignait le tout premier repas de la journée, comme c'est encore le cas en Belgique, en Suisse, au Québec et dans le nord de la France.

DÎNER

Le mot dîner est né à la même époque et a la même origine que déjeuner, c'est-à-dire le latin vulgaire *disjunare,* simplement contracté davantage. Mais il a eu tout de suite un sens différent. Le dîner, c'est le repas principal. Comme le plus souvent, au cours des siècles, on l'a pris au milieu de la journée, il est aussi devenu le repas du midi. C'est l'explication la plus simple, mais pas la seule. On a dit que dîner proviendrait non pas de *disjunare,* mais, et citons ici Castelot: 1) de *decimheure,*

155

◆

c'est-à-dire dix heures, moment où on prenait le gros repas de la journée à l'époque des Carolingiens, du huitième au onzième siècle; 2) du latin *dicenare* où *cena* — La Cène, ça vous dit quelque chose? — était le repas principal. Sauf qu'on le prenait le soir… 3) de *Dignare Domine,* expression tirée d'une ancienne formule du *Benedicite*; enfin, 4) de *meridianus,* le milieu du jour, le midi. Quoi qu'il en soit, il vaut mieux donner à dîner le sens de «repas principal», quand on voit combien son heure a bougé au cours des siècles!

SOUPER

Nous voici au souper. De soupe, selon l'étymologie la plus largement admise. La soupe constituant un repas léger, on la mangeait le soir. Mais on a dit aussi que souper viendrait de la locution latine *sub vesper*: à la tombée du soir, pendant la soirée. Intéressant. Mais quand on lit que souper, sous la forme ancienne soper, voulait d'abord dire tremper du pain dans son vin; et que la

SOUPE

soupe — la sope — désignait justement la tranche de pain trempée dans un liquide et que ce mot se retrouve dans plusieurs langues germaniques, alors la poésie vespérale se dissipe dans les vapeurs du bouillon où trempe la *suppa* francique…

Une vraie révolution

Mais pourquoi donc les métropolitains déjeunent-ils quand nous dînons et dînent-ils quand nous soupons? Ce serait la faute à la Révolution!

En 1789, on déjeune le matin d'un potage ou d'un café au lait, on dîne vers 13 heures assez solidement, puis on soupe à la fin de la journée. Or, l'Assemblée constituante délibère de midi à 18 heures. Pas question, vu l'état d'urgence des choses, que les Constituants s'interrompent pour dîner. Ils prennent donc l'habitude de manger vers 11 heures, avant les délibérations. Il leur faut un repas assez consistant pour les sustenter jusqu'au soir, mais ils manquent de temps pour prendre un vrai dîner, qu'ils préfèrent reporter à plus tard, après les séances. En somme, ils prennent à 11 heures un «second déjeuner», qu'on appelle aussi «déjeuner à la fourchette» puisque le menu comporte généralement des œufs et de la charcuterie. Bientôt les restaurants alentour offrent ces «déjeuners à la fourchette». C'est une nouveauté. Ce sera une mode. Par opposition à ce second déjeuner, celui du matin est appelé «premier déjeuner».

PETIT
DÉJEUNER

Au début de notre siècle, «premier» devient «petit» et «second» tombe. On dîne désormais le soir. Le souper est repoussé lui aussi et réservé au repas léger qu'affectionnent les couche-tard. Cette habitude de prendre le repas principal — le dîner — après la journée de travail s'installe d'autant plus facilement dans nos mœurs qu'elle convient mieux aux horaires des usines et des bureaux.

À midi, la dînette

MIDINETTE

Et aussi à ceux des magasins et des ateliers. Les jeunes employées de la couture, par exemple, faute de temps et d'argent, se contentent d'un casse-croûte. Les beaux jours, on peut les voir, dans les jardins publics, partageant leur repas et leurs rires entre elles, charmantes comme de petites filles jouant, à midi, à la dînette. Ainsi naît un tout nouveau mot: midinette. Dont Renoir aurait pu s'inspirer pour un portrait de jeune fille. Puisque tous les éléments d'un tableau sont dans ce mot: lumière, action, personnage, légèreté de la touche et simplicité d'ensemble!

MIDINETTE

«Le délicieux repas de la cantine, je ne me l'offrais jamais... Quand il faisait beau nous allions en groupe dévorer une demi-baguette tartinée de pâté de porc, aux Tuileries ou au rond-point des Champs-Élysées. Des midinettes pour dessinateurs. S'il faisait mauvais, on mangeait au vestiaire ou dans l'escalier.»
Témoignage d'Élise cité dans *La femme au temps des Années folles* de DOMINIQUE DESANTI, Stock/Laurence Pernoud, Paris, 1984, p. 59.

157
◆

**HEURE DU DÎNER (REPAS PRINCIPAL)
EN FRANCE SELON LES ÉPOQUES**

époque	9 h	10 h	11 h	12 h	13 h	14 h	15 h	16 h	17 h	18 h	19 h	20 h	21 h+
Carolingiens Xe siècle		x											
Charles V XIVe siècle	x												
Louis XII XVe siècle			x										
Louis XIII Louis XIV XVIIe siècle			x	x									
Louis XV Louis XVI XVIIIe siècle					x	x							
1789										x			
XIXe siècle XXe siècle										x	x	x	x

Note: le Sud dîne plus tard que le Nord

◆

EN NOUVELLE-FRANCE, AUX XVIIe ET XVIIIe SIÈCLES

EN VILLE

On prend à 8 heures un déjeuner frugal: pain trempé dans de l'eau-de-vie ou croûton avec café ou chocolat.

On dîne à midi et on soupe entre 7 et 8 heures du soir. Les deux repas sont semblables. On commence par une soupe avec beaucoup de pain, puis viennent les viandes de toutes sortes, gibier, volaille, apprêtées de toutes sortes de manières et suivies d'une salade. On boit du bordeaux mêlé d'eau et de la bière d'épinette, très en vogue. Le dessert est constitué de noix, de baies et de fromages. On termine avec du lait sucré.

À LA CAMPAGNE

Les paysans ont besoin de quatre repas par jour, surtout à l'époque des durs travaux. Levés avec le soleil, ils ne déjeunent cependant qu'à 8 heures. Le déjeuner est donc le repas substantiel: crêpe de froment ou de sarrasin et bol de lait dans lequel on trempe un quignon de pain. Le lait remplace toujours le thé et le café. Les autres repas se prennent vers midi, 4 heures et 8 heures du soir, ce dernier étant plus important que les deux autres, qu'on prend à la hâte pour ne pas interrompre le travail trop longtemps.

D'après R. DOUVILLE, et J.-D. CASANOVA, *La vie quotidienne en Nouvelle-France,* Hachette, Paris, 1982.

REPAS RAPIDES

Plus pressés encore que les midinettes 1900, nous ne prenons souvent même plus la peine de nous asseoir pour manger. Le temps étant de l'argent, pour bien gagner sa croûte, mieux vaut la casser sur le pouce!

À propos de croûte, voici ce qu'on peut lire dans le *Dictionnaire Robert des expressions et locutions:*

> Casser la croûte, «manger». L'expression apparaît en 1781, puis, sous l'influence de la liberté d'expression révolutionnaire, dans le Dictionnaire de l'Académie (édition de 1798). On a d'abord dit *casser la croûte avec quelqu'un,* «partager un repas sans façon», c'est-à-dire «partager son

pain avec». L'expression s'est démotivée au XIXe s. et *croûte* est compris comme «nourriture» en général, tandis que *casser* équivaut à «mastiquer, broyer». *Casser la croûte* implique en principe un repas rapide, simple...
[...]
Gagner sa croûte, «gagner sa vie». Variante expressive de *gagner son pain,* ajoutant l'idée de difficulté, de «dureté».

Avant d'inventer «casser la croûte», on transmettait la même idée avec des mots comme croûtonner, croûter ou croustiller. Madame de Sévigné, par exemple, emploie familièrement croustille pour repas léger, collation. On trouve encore croustance, moins élégant, pour nourriture, repas en général.

CROÛTE

Le mot croûte et sa famille: croûte, croustillant, croustade (passé par le provençal), incruster, crustacé, nous viennent du latin *crusta* qui n'avait d'abord aucune connotation alimentaire; c'était la croûte comme nous l'employons encore dans le sens de revêtement, de couche durcie. L'extension de sens s'est faite tout naturellement cependant pour les dérivés de *crusta*: *crustula* le croûton, *crustum* le pain croûté, *crustulum* le gâteau.

CASSE-CROÛTE

C'est au tout début du dix-neuvième siècle qu'apparaît le substantif casse-croûte. Ce n'est alors pas un repas, mais un ustensile. Qui sert aux vieillards et aux édentés à broyer leurs croûtons!

Un peu plus tard, vers 1898, le mot casse-croûte est attesté avec son sens actuel de repas qu'on apporte quand on veut manger à l'extérieur de chez soi, comme le font maints travailleurs, écoliers ou voyageurs. Ajoutons enfin qu'au Québec, où l'anglicisme apparaît trop souvent au menu (ah! ce «spécial du jour»...), le casse-croûte désigne aussi le snack-bar, que le français d'Europe n'a pas craint d'emprunter tel quel aux Américains.

Le pouce qui pousse

MANGER SUR LE POUCE

Quand on doit avaler rapidement un aliment, sans l'aide d'ustensiles, on se sert de ses doigts pour le tenir. À la dernière bouchée, on en est au pouce, et c'est le pouce qui pousse cette dernière bouchée dans la bouche. Simple. Peu raffiné mais pratique. C'est cela, manger sur le pouce! Et pour nommer les mets qui, dans un restaurant-minute, se mangent avec les doigts, sur le pouce quoi, le Service de linguistique de Radio-Canada propose bouchées ou, bien joliment, «croque-en-doigts».

Des repas rentables

Mais le génie fébrile de l'homo industriosus n'allait pas se satisfaire de la formule repas rapide. En effet, pourquoi cesser, ne serait-ce qu'une minute, de travailler pour manger? Ne pourrait-on manger tout en travaillant? Question fondamentale, réponses multiples: la réunion casse-croûte; la réunion-déjeuner; le déjeuner-causerie; le déjeuner-conférence; le déjeuner d'affaires; le déjeuner de presse. *Et caetera*. Le glossaire du repas-travail n'aura de limites que celles de la rentabilité!

REPAS LÉGERS

Petit creux surprise, coup de fatigue ou pause gourmande? Il n'y a pas de quoi en faire tout un plat. Mais on mangerait avec plaisir un morceau. Heureusement, la faim s'est inventé des collations, des en-cas et des goûters!

COLLATION

Le mot collation, du latin *collatio,* dérive du participe passé du verbe *conferre* qui avait, comme notre conférer français, le sens de rassembler, réunir, communiquer, comparer, attribuer. La collation était donc une conférence, plus précisément celle des moines, qu'ils tenaient chaque soir et qu'ils faisaient suivre d'un repas léger. Aussi, dès le treizième siècle, le mot collation va-t-il désigner ce souper monastique, ainsi d'ailleurs que les textes sacrés qu'on y lisait. Bientôt, pour les laïcs, la collation ne fut plus qu'un goûter pris entre les heures des repas.

Car la collation ne saurait être abondante quand on se replace dans le décor des couvents médiévaux. Les moines vivent alors de la charité publique. Et ce qu'ils trouvent au réfectoire est proportionnel à la pitié (ou à la piété; il s'agit du même mot, le premier de formation populaire, le second de formation savante) qu'ils suscitent chez les bonnes gens. C'est

PITANCE

leur pitance, repas nécessairement piteux... à tout le moins frugal. Le moine dont la fonction consiste à distribuer la pitance, c'est le pitancier; et le local où on entrepose les dons alimentaires, c'est la pitancerie. Chez les Chartreux, au dix-septième siècle, une fois par semaine on a droit à un repas un peu plus substantiel que la pitance. C'est la… miséricorde! Ces mots aujourd'hui ne font plus partie de notre vocabulaire. Ils s'empoussièrent, au grenier de notre histoire religieuse, avec la coulpe et le missel, la bure et la tonsure, la haire et le cilice, les vêpres et l'angélus.

Mais revenons à notre collation. Certaines personnes, prévoyantes, la préparent d'avance. Elles savent que tous les estomacs ne sont pas réglés sur la même horloge et que la faim, comme la visite, survient parfois à l'improviste! Chez elles,

EN-CAS

l'en-cas (ou bien l'au cas où, relevé au Québec par Léandre Bergeron) est toujours prêt. L'en-cas s'est beaucoup réduit avec le temps. Aujourd'hui, il s'agit d'aliments légers qu'on peut soit réchauffer rapidement ou servir directement du frigo, soit emporter avec soi. Mais au Moyen-Âge, c'est une table toujours bien garnie, à l'intention des voyageurs qui s'arrêteront éventuellement et que l'hospitalité défend de décevoir. Plus tard, aux dix-septième et dix-huitième siècles, on préparera «l'en-cas de nuit» pour les rois. Ainsi, sire Soleil aurait eu, sur une table à côté de sa chambre, chaque soir, trois pains, deux bouteilles de vin et de l'eau pour ses fringales nocturnes. Il arrivait que le roi partageât cet en-cas avec une personne qu'il voulait honorer de son amitié.

Comme l'en-cas, le goûter a diminué de volume et comme la collation, il a changé d'heure. Il y a deux siècles, ce qu'on

GOÛTER

appelait goûter était en réalité un repas complet, servi vers 5 heures les jours où l'on allait au spectacle. Peu à peu, on préféra imiter les Anglais: le thé, moins élaboré, convenait mieux avant une sortie. Et l'on pouvait toujours souper après. On conserva le nom de «goûter» ou de «collation» au repas léger

QUATRE-HEURES

de l'après-midi, tel qu'aiment en prendre les écoliers à leur retour, vers… 4 heures:

«Mamon, est-ceuh queuh jeuh peux avoir mon peutit quatre heuuures?»
«Son petit quatre heures? Je me demandais bien ce que ça pouvait être, surtout qu'il était exactement quatre heures! Puis j'ai pensé que c'était peut-être tout simple-

ment sa collation. Son petit quatre heures! Franchement! Elle appelle-tu son souper son petit six heures moins vingt? Mais c'te monde-là doivent pas manger avant sept heures, c'est comme rien.»

MICHEL TREMBLAY, *Des nouvelles d'Édouard,*
Leméac Éditeur, Montréal, 1984, p. 115.

Importations anglaises

THÉ

On connaît l'infusion de thé en France depuis à peu près 1670, mais le mot thé pour désigner un repas apparaît au dix-huitième siècle. C'est généralement une réception d'après-midi où sont offerts bien sûr le thé et les gâteaux, comme en Angleterre. Mais, selon Castelot, on appelle aussi «thé», à cette époque, un souper de nuit, entre 2 et 3 heures du matin où, écrit-il, «le thé se montre à peine mais où les grosses pièces de boucherie ou de gibier, les vins..., le punch... abondent». Au dix-neuvième siècle, sous le Second Empire, les thés se donnent vers quatre heures et rivalisent d'élégance avec ceux de l'impératrice Eugénie. En 1895, apparaît pour la première fois dans un dictionnaire français l'expression anglaise, orthographiée five-o-clock-tea. On peut supposer qu'à ce moment-là, le thé se prenait à l'heure anglaise.

LUNCH

Des Anglais nous n'avons pas hérité que du five o'clock tea. Mais aussi du lunch.

Le lunch traverse la Manche au début du dix-neuvième siècle, avec les touristes qui en parlent 1) comme d'un repas du midi, un déjeuner, mais solide (1817); 2) comme d'un vrai repas pris en après-midi, entre le déjeuner et le dîner (1825); 3) enfin, comme d'un simple goûter (1832)! Quoi qu'il en soit, ce repas étonne les Français. Le mot lunch, qui entre dans le Littré en 1867, est une abréviation du *luncheon* dont le sens propre est: morceau, grosse tranche. À rapprocher de l'expression française «manger un morceau». Le lunch serait donc un repas léger dont l'heure est variable? Au Québec, le lunch est aussi bien un casse-croûte qu'on apporte à l'école ou au travail, qu'une collation prise vers quatre heures ou même juste avant le coucher, que le repas du midi (surtout dans les milieux bilingues) ou que, par euphémisme, un gueuleton! Mais le *Petit Robert* est formel: en France, le lunch remplace le déjeuner et on le sert «devant un buffet».

LES 2 DANS 1

BRUNCH

Le brunch, lui, dit clairement, du moins à ceux qui comprennent l'anglais, ce qu'il est. Mot-valise, composé d'un peu de *breakfast* et d'un petit *lunch,* c'est à la fois un petit déjeuner et un déjeuner, autant pour ce qui est de l'heure: la matinée, que pour ce qui est du menu: muffins, œufs et brioches y côtoient viandes et salades. Le mot est d'invention très récente (1970 environ) et la chose convient particulièrement bien aux lève-tard des dimanches et des jours de congé.

AMBIGU

Mais cette formule «deux dans un» n'est pas nouvelle. Ainsi, au dix-septième siècle, y eut-il la mode de l'ambigu. Lui aussi porte bien son nom, puisque sur la table de l'ambigu sont disposés en même temps les viandes et les desserts, les légumes et les fruits. Et l'ambiguïté joue aussi sur le moment de le servir. D'abord repas de nuit, à l'issue du spectacle, il sera plus tard offert plus tôt, mi-collation mi-souper. L'ambigu étant un repas essentiellement froid, on le dit ancêtre de nos buffets. Le mot descend du latin *ambiguus*: douteux, équivoque, et cet adjectif avait été formé à partir du verbe *ambigere*: laisser en suspens, douter. De plus loin encore, *ambigere* vient de *agere*: agir, mais d'abord conduire, puisque la syllabe mère indo-européenne, *ag,* signifiait littéralement: pousser son troupeau devant soi. Et revoilà l'image du pasteur menant paître ses bêtes! Ou bien, lors d'un ambigu, celle des invités, au signal du maître d'hôtel, se pressant en troupeau vers le buffet!

Le mot «ambigu» pour désigner un repas est aujourd'hui tombé en désuétude. C'est dommage, non? Il remplacerait bien, il me semble, le brunch à la sonorité insolite ou le «goûter dînatoire» de l'après-midi (un goûter assez copieux pour servir aussi de repas du soir), expression plutôt pompeuse...

PAS CHERS DU TOUT

PIQUE-NIQUE

Moins pompeux — quoiqu'il y en ait de somptueux —, le pique-nique vous entraîne dans la nature. Si on mange en plein air depuis certainement le Moyen-Âge, c'est au dix-septième siècle

PAYER SON ÉCOT

seulement qu'on inventera le mot pique-nique. Il y a deux idées sous ce mot. La première est qu'il s'agit d'un repas pris en commun à frais partagés: chaque convive paye son écot, comme on dit dans ce contexte depuis le treizième siècle. Le mot écot vient du francique *skot,* qui désigne à la fois la contribution et... un morceau de bois! C'est qu'on marquait la contribution de chacun au moyen d'une encoche dans une planchette. Il suffisait d'y penser!

La deuxième idée est transmise littéralement par le mot. C'est que le pique-nique est un repas constitué de plusieurs plats dans lesquels on se sert un petit peu à la fois. Dans lesquels, donc, on... pique, on picore, des niques, c'est-à-dire de petites choses, de petits riens. On a dit que pique-nique avait été piqué à l'anglais. Or, c'est l'inverse, *pick-nick* étant plus jeune d'une bonne cinquantaine d'années.

L'écornifleur ou le senteux?

PIQUE-ASSIETTE

La nique de pique-nique est la même que celle de l'expression «faire la nique». Le mot, d'origine expressive, veut dire au figuré: insignifiance, moquerie. Quant à pique, c'est aussi celui de pique-assiette. André Castelot fait remarquer que ce mot, pique-assiette, ne peut que dater de l'époque de l'invention de l'assiette individuelle, au dix-septième siècle. Et comme le pique-assiette a toujours existé, on lui donnait auparavant d'autres noms: croque-lardon, pique-lardons, écume-marmite, cherche-midi. En France, on dit aussi écornifleur. Mais au Québec, l'écornifleur, c'est plutôt l'indiscret, le «senteux», celui qui cherche à tout savoir. Les deux sens ne sont pas si lointains: c'est en reniflant qu'on apprend où la table est mise!

En toute franchise...

FRANCHE LIPPÉE

Où on peut se taper une franche lippée. Sous lippée, il y a de la babine. Le mot, comme lippe, vient du néerlandais et c'est un cousin du latin *labia*: lèvre. Rabelais parle de grasses lippées et il s'agit de riches repas. Et le chien bien en chair de La Fontaine fait remarquer au loup bien maigre que dans les bois, il n'y a «point de franche lippée», c'est-à-dire de repas gratuit, puisqu'on doit toujours se battre pour s'assurer la subsistance.

À LA
BONNE
FRAN-
QUETTE

On a aussi franc dans «à la bonne franquette». Sauf qu'il ne s'agit plus de gratuité comme dans franche lippée ou franc de port. Mais plutôt de simplicité, de naturel, de spontanéité, d'absence de détours et d'artifices, comme dans avoir son franc parler ou jouer franc jeu ou une franche camaraderie. L'expression, qui utilise un diminutif de franc, avant que de signifier «sans façons», a voulu dire: en toute franchise. Sa forme actuelle n'apparaît qu'au milieu du dix-huitième siècle; on disait plutôt «à la franquette», comme le prononçaient les Normands et les Picards qui durcissaient ainsi le *ch* d'origine: *franchette*.

L'ordinaire et l'extraordinaire

Tous ces repas, somme toute, tiennent de l'ordinaire. C'est-à-dire du roulement habituel horaire/menu/préparation des aliments. Le terme «ordinaire» dans le sens de routine alimentaire nous vient de l'armée: l'ordre n'est-il pas particulièrement affaire de militaires? Par opposition, on nommait extraordinaire, au dix-neuvième siècle, un dîner officiel.

ESPRIT DE FÊTE

Mais nous nous efforçons depuis le début du monde de faire de nos repas le plus souvent possible des fêtes.

FESTIN

La nécessité où nous sommes de nous nourrir plusieurs fois par jour pour simplement survivre nous rend esclaves de notre faim. Sans doute nous redonnons-nous le sentiment de dominer notre condition quand nous transformons cette nécessité routinière en réjouissance. Tous les prétextes sont valables. Quoi que nous célébrions — retour des saisons, mariage, naissance, événement, mort —, la nourriture fait partie de la fête. De la fête religieuse comme de la fête païenne. Le mot festin, par exemple, qui désigne essentiellement un repas hors de l'ordinaire, veut dire littéralement: petite fête, dans son italien d'origine.

Réjouissances

GAUDEA-
MUS

Dans le même esprit, celui de la réjouissance, s'inscrivent régal, gogaille, goguette et gaudeamus. Ce dernier mot, très évidemment latin, signifie: réjouissons-nous. Abondamment employé dans les textes de prières, il désignait aussi, au dix-septième siècle, un joyeux repas. L'infinitif de gaudeamus, *gaudere,* va donner en français non seulement la gaudriole, mais aussi, après adoucissement du g en j, toute la famille de jouir et de joie.

RÉGAL

Pour dire: amusement, divertissement, réjouissance, l'ancien français avait gale, qui s'appliquait plus précisément à la fête, et gogue, qui se rapprochait plus de plaisir et plaisanterie. Gale venait du francique *wala*: bien (c'est le *well* anglais), dans l'esprit du verbe gallo-roman *walare* qui voulait dire: se la couler douce. Ce qui nous amènera le régal où l'on perçoit bien l'influence de rigoler, et qui était dans son sens premier un repas somptueux; ainsi que le gala, la galanterie et la galéjade.

GALA

Quant à gogue, on ignore son origine exacte mais on lui soupçonne une parenté avec le gaulois *gobbo* (donc avec gober et tous ses dérivés); il donnera naissance à goguenard, à goguette, à la locution à gogo et à gogaille. Au quinzième siècle, on disait «être en ses goguettes» ou «faire goguettes» pour expliquer qu'on faisait la fête. Plus tard, le substantif goguette désignera une noce; puis «être en goguette» désignera l'ivresse légère, celle qui vous pousse à l'aventure... galante! Sous «à gogo» et sous gogaille (ou gogâille), la réjouissance se double de l'abondance. Au Québec, la gogaille, selon Bélisle, désigne non seulement un repas de fête, mais aussi la cuisine, la nourriture ordinaire; Jean Provencher relève, toujours au Québec, la locution «à la gogâille», dont le sens est en fait celui de «à gogo», c'est-à-dire: à profusion.

GOGUETTE

À GOGO
GOGAILLE

Très proche de gogaille, on trouvera aussi godaille et guindaille pour nommer un repas largement arrosé, où mets et plaisirs surabondent. On hésite sur l'origine de godaille et de guindaille. Simple déformation ou adaptation de gogaille? Dérivation à partir de *gobbo*: la bouche ou de *god*: enflé? Ou bien rejeton de l'ancien français goudale: bière, mot employé au treizième siècle, du néerlandais *goed ale*: bonne bière (*good ale* en anglais)? (On sait en tout cas qu'au seizième siècle, le mot goudaille signifiait... mauvaise bière!)

Le radical *god* se retrouve aussi dans de vieux mots comme godel: mignon; gode: joyeux luron; ou godemine: bonne chère. Godemine est particulièrement intéressant. D'origine

167

◆

FAIRE
BONNE
CHÈRE

très probablement celtique, son sens littéral est «joyeuse mine», autrement dit: visage souriant. Or, c'est exactement ce que signifie au premier chef bonne chère! Car ce «chère», venu du grec en passant par le latin — *cara* —, c'est le visage. Faire bonne chère, c'est sourire et plus précisément sourire en accueillant. C'est démontrer son hospitalité. Du treizième au dix-neuvième siècle, les sens de chère — visage, accueil et repas — ont coexisté. Madame de Sévigné écrit «il ne sait quelle chère me faire» comme aujourd'hui elle écrirait «il ne sait quelle tête, quel accueil me faire»; mais ailleurs, elle parle de «chère admirable» pour qualifier la cuisine de Basse-Bretagne. On est passé de l'expression du visage au bon repas soit à cause de l'influence de l'homonyme chair, la viande, soit par métonymie, la qualité du repas étant étroitement associée à la qualité de l'hospitalité.

Variations sémantiques

BANQUET

RASTEL

Si les Romains se couchaient à table, les Italiens assoyaient leurs invités sur des bancs. Un petit banc chez eux se dit *banchetto*. Voilà le banquet, dit en français depuis le quatorzième siècle! Bel exemple d'extension de sens, semblable à celle de rastel qui, de l'ancien français où le mot désignait le râtelier d'étable (le même que dans «manger à tous les râteliers»), en est venu à vouloir dire festin et même beuverie dans la langue dialectale du midi de la France.

BALTHA-
ZAR

Les mots aiment bien changer de contenu. Ainsi Balthazar. Vous souvenez-vous de ce roi de Babylone cité dans la Bible, au livre de Daniel? Il avait offert un énorme festin à mille convives nobles, alors que Cyrus assiégeait ses remparts. Il advint ce qu'il devait arriver: Cyrus enleva la ville et Balthazar fut tué. Sur le mur de la salle où se tenait l'orgie, mystérieusement avaient été tracés ces mots: *Mané, Thécel, Pharès*: compté, pesé, divisé. Et l'empire babylonien s'écroula comme son dernier roi. On était en 538 avant Jésus-Christ. Presque vingt siècles plus tard, Balthazar ne désignait plus, et sans sa majuscule, qu'un festin toujours bien ordinaire à côté du sien. Et aujourd'hui, qu'est-ce qu'un balthazar? Rien qu'une bouteille, une bien grosse il est vrai et tout de même pleine de champagne. Le balthazar contient seize bouteilles de 750 ml. Pas de quoi contenter mille fêtards!

TABAGIE

S'il y a eu réduction dans le cas balthazar, il y a eu confusion dans le cas tabagie. Au dix-septième siècle, le mot désigne un festin. Il est employé, nous dit Sylva Clapin, dans plusieurs écrits de l'époque relatifs au Canada, ceux de Lescarbot par exemple. Le mot était une simple francisation de l'algonquin *tabaguia*: festin suivi de harangues. Mais depuis un siècle, on connaissait le «tabac», mot d'origine haïtienne passé par l'espagnol. La méprise était facile. La tabagie, de repas devint lieu où l'on fume — l'estaminet par exemple —, puis pièce enfumée. Au Québec, la tabagie, c'est aussi l'endroit où l'on vend du tabac.

LA PROFUSION

RIPAILLE

Plus que la fête, c'est la profusion qui se lit sous les mots ripaille et bombance. Le premier viendrait de l'ancien français riper, lui-même issu du moyen néerlandais *rippen*: racler, gratter. Faire ripaille, avant que de signifier manger beaucoup et bien, était employé, au seizième siècle, dans la langue militaire. Cela voulait dire aller chercher des vivres chez l'habitant. Tel soldat ramenait du pain, tel autre du fromage, un autre encore une poule, de sorte qu'on se retrouvait avec de la nourriture en abondance, comme pour un gros pique-nique! Cette explication étymologique de ripaille est la plus sérieuse mais pas la plus séduisante! En effet, on a raconté que ripaille venait du nom du château de Haute-Savoie, aux abords du lac Léman, où l'antipape duc Amédée VIII de Savoie, s'y étant retiré, menait joyeuse vie en compagnie de nombreux invités amateurs de bonne chère.

La bouffe explosive

FAIRE
BOMBANCE

Quant à bombance, son origine est onomatopéique: bob, une syllabe qui transmet l'idée de gonflement. Le mot, sous la forme bobance, avait au onzième siècle le sens de faste, d'orgueil. Il est donc passé de l'abstrait au concret. Dans sa famille, on trouve une série de mots suggérant la rondeur, le mouvement de la bouche, la sottise aussi. Par exemple: bobard, baver, bibelot, etc.

Pour dire bombance, on emploie souvent aussi son diminutif: bombe. Qui n'est pas la bombe explosive. Celle-là vient

169

BOMBE

aussi d'une onomatopée, quelque chose comme boum qui donnera *bombos* en grec et *bombus* en latin, puis en français des mots comme bonbonne, bond, bombarde ou bomber. En somme, les deux «bombes» se rattachent à des étapes différentes: celle du gonflement pour la bombe bombance et celle de l'éclatement pour la bombe du bombardier! Ne fait-on pas d'ailleurs la bombe aujourd'hui en s'éclatant le plus possible?

CREVAILLE

L'idée n'est pas neuve. On disait autrefois crevaille pour désigner un repas excessif.

Chair et chère

«Chus ben d'accorre de temps-z-en temps pour ête le repos du guerrier... le banquet du chasseur... le festin du powette... mais à condition que l'service soueille en porcelaine de chine...»

Sarah, dans *Les hauts et les bas dla vie d'une diva:*
Sarah Ménard par eux-mêmes
de JEAN-CLAUDE GERMAIN, Vlb éditeur, Montréal, 1976, p. 52.

PLANTU-
REUX

Qui dit repas de fête dit repas plantureux. Végétariens, ne vous réjouissez pas trop vite: il n'y aura pas sur la table que des... plantes! Car plantureux ne vient pas de *planta,* mais de *plenitas*: l'abondance latine. Dont l'ancien français fit plenté ou plentée (en anglais, *plenty* a le même sens). Plenté devait disparaître pour cause d'homonymie avec planté. Mais il avait servi, avant, à créer, sur le modèle de heureux, le mot planteureus qui nous restera sous la forme plantureux. Très tôt, dès la fin du douzième siècle, la plentée est aussi la fête, le repas abondant et, dans les mots de la même famille, l'idée d'abondance se double de celle de fertilité. Une femme plentible est féconde. Chair et chère se lient une fois de plus. Aujourd'hui, plantureuse se dit aussi bien de la copieuse nourriture que de la femme bien en chair. Plénitude des sens rassasiés.

DÉBAUCHES

Oui, rien de tel qu'un festin pour épanouir les sens! Aussi la fête va-t-elle parfois jusqu'à la débauche. C'est ce que nous disent des mots comme bringue, bamboche ou ribote, qui tiennent bien plus de la beuverie que du repas! Mais certainement

BRINGUE de la fête! Bringue vient de l'allemand *bringen*: porter, dans son emploi de «porter un toast». Aussi dans sa première version, brinde, au seizième siècle, le mot signifiait tout simplement «santé!» Il faut croire que de toast en toast la fête a dégénéré, comme c'est le cas pour noce et foire auxquels il suffit d'ajouter «faire» pour tomber dans l'excès. Faire la foire, faire la noce, faire la bringue, faire bamboche.

BAMBOCHE Voilà un mot d'origine italienne. *Bamboccio*: le pantin, la marionnette, a été le surnom d'un peintre hollandais du dix-septième siècle, Peter van Laer ou Laar, dont la spécialité était les paysages; mais il fut surtout rendu populaire par ses scènes d'auberge qu'on appela bientôt bambochades. Le mot bambocher reçoit comme synonyme, dans le dictionnaire québécois de Clapin, pintocher; et aujourd'hui, la bamboche est étroitement liée à la débauche joyeuse.

RIBOTE Ribote, lui, s'est plutôt atténué. Si aujourd'hui il s'applique plus à l'excès d'alcool (être en ribote c'est être en état d'ivresse), il désignait un joyeux repas au siècle dernier. Mais au début, au douzième siècle, le ribaud était un débauché. Le mot dérivait de riber, que l'ancien français avait pris au haut allemand *rîban*: frotter et s'accoupler!

ORGIE Ce qui fait tout de suite penser à orgie. Pourtant, l'orgie n'a étymologiquement rien d'orgiaque! On la fait remonter jusqu'à la racine indo-européenne *worg*: agir (on reconnaît ici le *work* anglais: travail), d'où viendront des mots aussi décents qu'orgue ou énergie. L'*orgion* grec, qui deviendra l'*orgia* latine, est un acte religieux, une célébration de mystère et plus particulièrement la célébration des mystères de Dionysos-Bacchus, maître du vin et des illusions. Et si l'orgie — qui se passe souvent de repas sinon d'alcool — s'est fait une si mauvaise réputation, c'est probablement que Bacchus, s'il était dieu, n'était pas précisément un ange...

PARTAGES

CONVIVE Peut-on imaginer festin sans convives? Le mot convive, d'ailleurs, signifiait festin au treizième siècle; au quinzième, il prendra son sens actuel. Il est issu du latin *convivum*: banquet et *conviva*: convive. En fait, dans son contenu lointain, le convive est celui avec qui on partage les vivres. En effet, tous ces mots: vivre, vivres, vif, vivant, vital, viande, victuailles, vivier, vivace ou convive remontent au verbe unique *vivere, victus*. Quant à la convivialité, avant que de désigner le rapport des personnes avec les autres ou avec l'environnement — ce qui est son sens récent, emprunté à la langue anglaise —, la convivialité, donc, c'est le goût des repas de fête, des tables partagées. Convive et commensal sont synonymes. Mais commensal offre une .définition légèrement différente. Venu du latin *mensa*: la table, il désigne celui qui mange habituellement à la même table. Avec un convive on partage la nourriture, avec un commensal on partage un lieu. Commensal existe en français depuis le quatorzième siècle.

COMMEN-
SAL

> *La Cène*
> Ils sont à table
> Ils ne mangent pas
> Ils ne sont pas dans leur assiette
> Et leur assiette se tient toute droite
> Verticalement derrière leur tête
> JACQUES PRÉVERT, *Paroles*

CÈNE

L'idée de partage était aussi présente sous le mot latin *cena*: la cène (repas du soir chez les Romains). En effet, son origine, la même que chair ou carnaval, remonte à la racine indo-européenne *ker* transmettant l'idée de couper, séparer, partager. On a employé cène en français dès le dixième siècle, toujours dans le contexte des rites chrétiens du partage: la Cène, c'est la célébration de la communion et c'est la messe du Jeudi saint, commémorative du dernier repas du Christ avec ses apôtres, au cours duquel, justement, il va instituer le partage eucharistique du pain et du vin. On s'est servi, particulièrement à l'époque romantique, du mot cénacle, dérivé de *cenaculum*: la salle à manger. Un cénacle, c'était un cercle d'intellectuels — philosophes, artistes, gens de lettres. Réunis pour, en quelque sorte, se nourrir l'esprit en partageant leurs idées et leurs écrits.

CÉNACLE

La réunion amicale, l'échange, s'entendent aussi sous des mots comme frairie et symposium. Le premier, peu employé de nos jours, désigne encore cependant, dans l'ouest de la France,

172

FRAIRIE

◆

une fête de village. Il signifiait «confrérie» au douzième siècle, puis s'est appliqué aux assemblées où l'on... fraternise autour d'une joyeuse table.

«Quel est celui que les coupes pleines n'ont pas rendu orateur?»
HORACE

SYMPOSIUM   Quant à symposium, il ne s'emploie plus que dans le sens de colloque, de réunion de spécialistes. Mais à l'origine, en grec (*sumposion*), il voulait littéralement dire: assemblée de buveurs. On ne buvait généralement, en mangeant, que de l'eau. Mais une fois le repas terminé, on se mettait à l'alcool et à la discussion. C'était cela, le symposium. Un membre de l'assemblée (exclusivement masculine) présidait le repas et la conversation; on l'appelait symposiarque. Pour les anciens Grecs, la table était un lieu privilégié d'échanges intellectuels. À tel point, d'ailleurs, que le banquet est devenu un genre littéraire. Ainsi, il existe un *Banquet* de Platon, un autre de Xénophon. Et, sous le titre *Le Deipnosophiste* — c'est-à-dire le banquet des sophistes, *deipnon* signifiant «souper tardif» —, un ensemble de quinze livres d'auteurs différents. Les Grecs devaient considérer que la chaleur de la fête, en déliant les langues, déliait aussi les esprits.

AGAPES   Ce dut être beaucoup plus calme pendant les agapes des premiers chrétiens. Quoiqu'elles aient été si gravement calomniées que l'Église en concile dut les abolir au quatrième siècle. Le mot agape vient du grec aussi et signifie: amour. Il s'agissait d'un repas pris en commun pour célébrer le dernier festin du Christ avec ses apôtres et honorer les martyrs. À l'époque des persécutions, les chrétiens faisaient leurs agapes dans les catacombes, à l'abri. On dit que ce sont eux qui prirent l'habitude de manger assis devant les tables, car ils trouvaient inconvenante — lascive? — la coutume romaine de manger étendu sur le flanc. Aujourd'hui, agape se dit d'un repas où règne l'amitié fraternelle ou d'un festin de famille.

«Le génie de l'amour et le génie de la faim, ces deux frères jumeaux...»
TOURGUENIEV

NOCTURNES

RÉVEILLON

MÉDIA-
NOCHE

Mais le repas de fête qui couronne tous les autres, parce qu'il est à la fois célébration, agapes, réunion et réjouissance, c'est le réveillon. Son nom fait appel à l'heure où il se passe: la pleine nuit.

Comme le médianoche avant. Médianoche vient de l'espagnol: milieu de la nuit. Réveillon dit: coupure de sommeil, réveil. Bien qu'à l'origine on ait dit réveillon pour désigner un repas de nuit sans connotation religieuse, aujourd'hui parler de réveillon, c'est parler du Nouvel An ou de Noël. La distinction date du dix-huitième siècle, au moment où médianoche tombait en désuétude.

Pour expliquer la teneur si chaleureuse de réveillon, il faut se reporter aux obligations encore si proches du jeûne religieux de la période de l'Avent. Comme le médianoche, le réveillon ne réveille pas que les endormis, il réveille aussi les affamés. La période de jeûne se terminant officiellement à minuit, il faut imaginer le bonheur des fidèles pouvant enfin goûter des joies de la table. Pourquoi attendre le chant du coq quand on peut manger dès minuit une?

Chaque pays chrétien a sa spécialité de réveillon. Au Québec, dinde et tourtière traditionnelles ont encore leurs adeptes, leurs gourmands. Réveillons du cinéma américain, avec chapeaux coniques et ballons colorés, réveillons familiaux québécois où le nombre des convives oblige encore les hôtes à dresser deux tablées, réveillons anonymes mais sympathiques au menu de plus en plus d'établissements, réveillons d'amoureux aux lueurs des chandelles, aux mets fins, aux grands vins. Réveillon de Daudet, de la chasse-galerie ou de la petite fille aux allumettes, quel qu'il soit, le réveillon annuel appartient aux habitudes irréfutables qui vont durer encore des siècles, même dépouillées de leurs raisons premières. Car la fête aime se nourrir de la nuit, toutes deux débordant du trop simple ordinaire, toutes deux abordant aux rivages du mystère.

Chapitre 6

Sous le
signe de
Ganymède

SERVICE

Nous ne pouvons pas toujours connaître toute la parenté d'un mot. Et tous les mots ne sont pas issus d'une famille aussi impressionnante que celle de service.

Car service constitue un exemple des plus intéressants de la formation, dans plusieurs langues, de familles de mots, à partir d'une seule racine indo-européenne. Si on illustrait l'origine de service au moyen d'un arbre généalogique, on aurait d'abord un tronc multimillénaire: un simple mot, plutôt une syllabe qui devait ressembler à *swer* et dont le sens était: faire attention. D'abord au sens de prendre garde. Puis à celui de prendre soin. Les deux sens vont rester prolifiques. Prendre garde suppose surveiller, voir et voir à tout. Prendre soin, c'est soigner, protéger, respecter, conserver, assurer l'entretien, rendre service. Les ramifications sémantiques de *swer* vont développer ces sens, mais ne les trahiront pas.

Du tronc swer surgiraient trois branches maîtresses. La branche germanique, qui laisse tomber le s, va donner naissance à des mots à base *war* en anglais ou en allemand, à base *gar* en français: garde, garer, guérir, garnir.

La branche grecque, elle, retient la finale *er* et en fait *hor,* d'où le verbe grec *horân:* faire attention, dont le français tirera panorama...

Quant à la branche latine, soit elle oublie le w, soit en fait un v; ce qui donnera des mots à base *ser:* d'une part les conserver, préserver, observer ou réserver; d'autre part les serf, servir, dessert et tous leurs dérivés; ou à base *ver* comme révérer.

Chacune de ces branches, vous vous en doutez, se subdivise à son tour pour aboutir à des dizaines de rameaux qui sont des mots français tout à fait courants. Ainsi, se rejoignent aux embranchements des mots à l'air aussi étranger les uns aux autres que guérite et vareuse; concierge, serviette, sergent et préservatif; révérend et gonzesse! On découvre de plus que des mots sémantiquement proches le sont aussi étymologiquement: regarder et observer; garder et conserver; irrévérencieux et dévergondé; révérence et égard; desserte et servante dont nous avons déjà parlé. Tous parents de service.

> «Un mot, pour moi, c'est comme une fleur, c'est composé de pétales; c'est comme un arbre: c'est fait de branches.»
> RÉJEAN DUCHARME, *Le nez qui voque*, Gallimard, 1967, p. 21.

LE SERVICE BIEN COMPRIS

On le sait, la réputation d'une table tient au moins autant à son service qu'à sa cuisine. Aujourd'hui, à moins d'être riche, nous ne nous faisons plus guère servir qu'au restaurant ou lors de réceptions. Mais traditionnellement, se faire servir à table, c'était la norme. Le nombre de domestiques variant selon la fortune et le standing de la maison et selon le genre de repas. Plus le protocole était complexe, comme dans les maisons royales, plus le service de table exigeait de spécialisation. Sans parler des très nombreuses gens de cuisine ni des intendants de la Bouche, on pouvait compter autour de la table un, deux, trois domestiques pour chacun des convives!

Des spécialistes

Les tâches du service de table pouvaient donc être définies très étroitement. L'officier pannetier, par exemple, s'il servait le roi, s'occupait plus précisément du pain; l'écuyer tranchant découpait la viande — suivant les règles de l'art — et la déposait sur les tranchoirs. Dans l'Antiquité, on chargeait même spécialement un esclave de recueillir les restes! On l'appelait analecte, du grec *analektos*: recueilli. Le mot a disparu avec la fonction. Mais on peut le voir encore, sous sa forme latinisée *analecta* ou au pluriel — des analectes — comme nom d'anthologies érudites!

ANALECTE

Les doyens

SÉNÉCHAL

Au Moyen-Âge, celui qui présente les plats, c'est le dapifer, littéralement: le porteur de mets, d'après les mots latins *dapes*: mets raffiné et *ferre*: porter. Dapifer n'a pas eu la vie très longue, on lui a préféré sénéchal. Celui-là, dans son francique d'origine, *siniskalk,* c'était le doyen des serviteurs; on pouvait donc lui faire suffisamment confiance pour le laisser manipuler les plats destinés au seigneur. Peu à peu, la fonction de sénéchal sera attribuée à des grands; le titre passera même dans le domaine de la justice.

Le service du vin

ÉCHANSON

L'échanson verse à boire. Selon les époques, sa fonction sera d'autant plus importante qu'il sera attaché à la table du seigneur, et que ce sera à lui de goûter les boissons, pour vérifier qu'elles ne sont pas empoisonnées, avant de les lui servir. Le mot échanson est d'origine francique: *skankjo,* de *skankjan*: verser, devenu *schenken* en allemand. À partir du dix-huitième siècle, échanson passe aussi dans la langue familière et désigne, avec un brin de taquinerie, toute personne qui s'occupe de remplir les verres. Le plus célèbre et le plus ancien des échansons, c'est Ganymède.

Il était merveilleusement beau. Et prince, fils de Tros, premier roi de Troie. Jupiter, l'ayant aperçu chassant sur le mont Ida, le trouva tout de suite parfait. Il le voulut comme échanson personnel. Il faut dire que la place était justement libre. Hébé, déesse de la jeunesse, que Junon avait conçue toute seule à la suite d'une monumentale ingestion de laitue, remplissait jusque-là cette fonction enviable. Mais Jupiter venait de la congédier, la jeune échansonne s'étant écroulée, ivre morte, pendant son service. Jupiter ne perdit pas de temps. Il prit la forme d'un aigle et s'envola enlever Ganymède, qui sera toujours représenté ensuite tenant un vase, symbole de sa dignité d'échanson olympien. C'est lui, selon certains auteurs, qu'immortalise, dans le Zodiaque, la constellation du Verseau.

178

◆ **BOUTILLIER**

L'officier de l'échansonnerie, c'est le maître échanson ou le Grand échanson. Il occupe une charge des plus importantes au Moyen-Âge. On lui donne aussi le nom de bouteiller ou boutillier; il est responsable non seulement de son équipe, mais des caves et des vignobles.

SOMMELIER

Aujourd'hui, celui qui se charge du vin au restaurant, c'est le sommelier. Le mot existe depuis bien longtemps, mais la fonction n'a pas toujours été la même. Au début, vers le douzième siècle, le *saumalier* est un conducteur de bêtes de... somme, un bouvier, un ânier, un muletier. Le mot somme, ici, signifie bât et ne se trouve plus aujourd'hui que dans la locution «bête de somme». Il nous vient du grec *sagma*: le bât, *sauma* en vieux provençal, avant de devenir somme. Un peu plus tard, le sommelier va monter en grade quand on le chargera de l'intendance d'une maison. Au quatorzième siècle, il se spécialise, devient responsable des vivres ou d'une partie des vivres et de ce qui concerne le service de la table. C'est à partir du dix-neuvième siècle qu'il sera finalement affecté aux vins. On peut aujourd'hui entendre le féminin sommelière. En Suisse, on dit aussi sommelier ou sommelière pour serveur ou serveuse.

Le maître

MAÎTRE
D'HÔTEL

MAJOR-
DOME

Toujours au restaurant, le maître d'hôtel dirige le service des tables. Comme son nom l'indique, c'est le responsable de l'hôtel, de la maison. Exactement comme le majordome, le *major domus* (maître, doyen, chef de maison) du latin médiéval dont l'italien fera *maggiordomo* et le français *majourdosme* à l'époque de Rabelais. On ne voit plus tellement de majordome que dans les livres ou les milieux très privilégiés. Il est intéressant de savoir que le *major* latin a aussi donné maire et, est-il besoin de le préciser mais nous le faisons tout de même, le major et la majorette, la majoration et la majorité.

Monsieur!

GARÇON

Mais tous ne sont pas maîtres; il faut des subalternes. C'est le cas du garçon, de table, de café, de restaurant. Pourquoi «garçon» en ce sens? C'est en réalité son sens d'origine. Deux hypothèses sont avancées par les étymologistes. La première, c'est que garçon viendrait du francique *wrakjo*: valet, vagabond, mercenaire au onzième siècle. Les garçonnets étant souvent employés comme valets, comme apprentis, le mot s'est élargi à tout enfant mâle d'une part, et à l'apprenti d'autre

179

◆

part. D'apprenti à aide, il n'y a qu'un pas. Celui qu'ont franchi les garçons meuniers, les garçons bouchers d'autrefois et les garçons coiffeurs, les garçons de cabine, de courses, de bureau ou de salle d'aujourd'hui. La deuxième hypothèse voudrait que garçon soit une adaptation phonétique du latin *carptor*: esclave chargé de couper la viande, l'écuyer tranchant en somme. Toujours est-il que le serveur de restaurant a commencé d'être appelé garçon au dix-neuvième siècle, époque où naissait la profession. On n'a pas fait que l'appeler d'ailleurs, on l'a interpellé: «Garçon!» On dit plutôt «Monsieur!» aujourd'hui, en parallèle avec madame ou mademoiselle, vu que le serveur ou la serveuse ne sont plus serviteur ou servante. Question de savoir-vivre, de respect. Un tout petit changement de mot qui traduit pourtant un grand changement d'attitude.

Avec le bar, sont arrivés en français — mais ils sont encore contestés — le barman et la barmaid, au dix-neuvième siècle.

Serveuse et servante

Ajoutons que serveur, qui a pris son sens actuel et son féminin serveuse lui aussi au dix-neuvième siècle, existait cependant déjà au treizième. De la même souche que serviteur et servant, il a eu le même sens qu'eux; la langue hésitait. Ainsi, serveur a eu un temps le sens religieux de servant et en français d'Afrique, serviteur est dit à la place de serveur. Quant à servante, un peu plus jeune, c'est le féminin de servant. Mais servant a fini par se spécialiser dans la liturgie et l'artillerie, où servante n'avait pas affaire! Elle est donc restée dans le service civil, comme serviteur et avec la même valeur que lui, si bien qu'on les a fait passer dans la grammaire pour un couple masculin-féminin.

Un inconnu

LOUFIAT

Reste le loufiat. C'est ainsi qu'on désigne très populairement (mais pas au Québec) depuis cent ans, le garçon de café ou le serveur en salle. Il s'agit d'un mot argotique, venu on ne sait trop d'où. Ce qu'on sait cependant, c'est que deux mots semblables existaient au cours du siècle dernier: *lofiat* avec le sens d'abord d'idiot puis de valet, et *loffiat* avec le sens de misérable. Nés d'une onomatopée, *louf,* exprimant le souffle, le gonflement, comme le suggère le *Grand Robert*? Hum... Dans leur *Dictionnaire du français non conventionnel,* Cellard et Rey rejettent comme non prouvée l'explication qui voudrait que loufiat ait été tiré du patronyme d'un serveur meurtrier, un temps célèbre. Et il faut aussi oublier le rapprochement avec loufoque, déformation argotique de fou et légèrement antérieur à loufiat, mais hélas postérieur à lofiat! Bref, c'est le mystère.

En guise de conclusion

QUELQUES MOTS DU VOCABULAIRE DE FRANÇOIS RABELAIS (1494-1553)

Altérer	Assoiffer
Apertement	Ouvertement
Appéter	Désirer, être attiré par
Attrempé (un temps)..............	Tempéré, adouci
Avaler	Faire tomber
Badigoinces	Lèvres
Baulièvres	Intérieur des lèvres
Bon du foie (aimer du)	Aimer de tout cœur
Bourrabaquin	Flacon de forme allongée
Bouteille	Tonneau
Bouter la nappe	Mettre, étendre la nappe
Breusse	Broc
Breuvage	Boisson en général
Briber	Manger avidement
Chaire	Chaise

Chère lie	Joyeux repas
Colère	Bile jaune
Companage	Tout ce qu'on met sur la table en dehors du pain et du vin
Concoction	Digestion
Coupe (de balance)	Plateau de balance
Écuelles (tout ira par)	On servira abondamment
Festoyé (être)	Être fêté
Flacon	Bouteille
Flairant	Fleurant
Fouetter un verre	Vider un verre d'un trait
Friand	Savoureux
Friands morceaux	Morceaux de choix
Fructice	Petit arbuste
Fructueux (pays)	Fertile
Gorge chaude (une)	Un plat délectable
Gorgeron	Gorge
Graisse (de basse)	De peu de valeur
Graisse (de haute)	Gras, de grande valeur
Grand'chère (faire)	Bombance, bon accueil
Guedoufle	Flacon
Harnais de gueule	Nourriture, vivres
Hostière (gueux de l')	Mendiants qui vont de porte en porte
Humer un pot	Boire un pot
Humeux	Buveur
Lêchart	Glouton
Lèche du jour	Lueur de l'aube
Lèche	Lambeau
Mélancolie	Bile noire
Nourrissement (prêter)	Nourrir
Oire	Vase
Paître (se)	Se nourrir
Paître	Manger
Past	Repas
Provision de mangeaille	Vivres
Repaître	Manger, être repu, se repaître
Sapience	Sagesse
Table (la seconde)	Le second service
Taillons (à)	En tranches
Tâter	Goûter

◆

LES MOTS DE LA FAIM ET DE LA SOIF PARLENT D'AMOUR

L'APPÉTIT
— se ragoûter (réveiller le désir)
— un vêtement affriolant
— appétit sexuel
— une personne appétissante
— les appas
— une poitrine plantureuse
— joli(e) à croquer
— trouver de (à) son goût

LES ENTRÉES
— faire du plat
— mots doux
— blagues salées
— engouement
— savourer les instants, la présence
— se manger des yeux
— s'embrasser à bouche que veux-tu
— se sucer (ou se lécher) les amygdales
— se sucer la pomme
— se sucer la poire
— se sucer la gaufre

LE PLAT DE RÉSISTANCE
— œuvre de chair
— les délices de la chair
— manger de la soupe aux herbes (faire l'amour en plein air)
— consommer
— pinocher
— laver l'écuelle à une femme (antérieur au 17e siècle: faire l'amour)

LE JEÛNE
— manger de l'avoine (se dit d'un amoureux éconduit)
— amoureux de caresme
— être laissé en carafe
— faire abstinence
— manger de la soupe à la grimace (recevoir mauvais accueil)

LES MOTS DE LA FAIM ET DE LA SOIF PARLENT D'ARGENT

RICHESSE
— être gras dur: avoir assez de fortune pour ne rien craindre de l'avenir
— avoir l'air prospère: se dit aussi d'une personne grasse
— être né avec une cuiller d'argent dans la bouche: être né riche

PROFIT
— profiter: se dit aussi pour grandir et grossir
— la part du lion: la plus grosse. Allusion à une fable de Phèdre puis de La Fontaine
— se sucrer: prendre son bénéfice d'une transaction
— pot-de-vin: cadeau, souvent en argent, versé discrètement en échange d'une faveur
— sucer quelqu'un jusqu'au dernier sou: lui soutirer tout son argent
— la soif de l'or: l'ambition du profit, des richesses
— manger à la même écuelle: partager les mêmes sources de profit
— manger à tous les râteliers: le râtelier étant un support pour le fourrage, on se trouve donc à soutirer du «foin»

PAUVRETÉ
— les années de vaches maigres: période de pauvreté. Allusion biblique
— manger de la misère: être pauvre, subir des malheurs
— avoir de la difficulté à joindre les deux bouts: ne pas gagner suffisamment pour payer le nécessaire
— manger de la vache enragée: c'est, proprement, se contenter de viande d'animaux malades, invendable donc gratuite. A le sens aujourd'hui d'être aux prises avec des difficultés d'argent.
— vivre de l'air du temps: être sans ressources financières
— salaire de famine, de misère, maigre salaire
— crier famine: demander de l'argent pour survivre
— crever de faim: être dans une pauvreté extrême

ÉCONOMIE
— couper les vivres: cesser de verser une pension alimentaire
— manger au râtelier de quelqu'un: vivre à ses dépens
— ça ne mange pas de pain: c'est gratuit
— chipoter: marchander pour de petites économies
— se serrer le ventre: économiser

— pour une bouchée de pain: pour un coût minime

— garder une poire pour la soif: se faire une réserve, économiser pour parer à toute éventualité

AVARICE

— un liche-la-piastre

DÉPENSES

— nourrir sa famille: lui assurer la subsistance

— consommer: c'est acheter des biens

— payer son écot: d'abord partager les frais d'un repas; ensuite, partager toute sortes d'inconvénients et prendre sa part des dépenses

— payer rubis sur l'ongle (c'est-à-dire comptant, au complet et tout de suite; on a d'abord dit: faire rubis sur l'ongle: boire son verre jusqu'à la dernière goutte de vin, celle-ci évoquant le rubis. Il semble aussi qu'on ait eu l'habitude de verser cette dernière goutte sur l'ongle du pouce et de la boire à la santé d'une personne absente.)

— vaisselle: en vieil argot, la vaisselle, c'était l'argent liquide

— soucoupe: montant de la consommation. On offrait les consommations sur une soucoupe où était gravé le montant. Au restaurant ou au bar, on présente d'ailleurs encore la note sur un petit plateau

— manger son blé en herbe: dépenser sur de l'argent escompté

— becqueter: c'est aussi dilapider son argent

— croquer de l'argent: le gaspiller

— grignoter son capital: le dépenser petit à petit

— dévorer son capital: le dépenser rapidement

— une note salée: élevée

TRAVAIL

— mettre les bouchées doubles: travailler deux fois plus et souvent aussi deux fois plus vite

— traiter une affaire *in poculis* (c'est-à-dire «parmi les coupes», autrement dit: le verre à la main)

— gagner sa croûte

— gagner sa pitance

«La table est le plus sûr thermomètre de la fortune...»
BALZAC

LES MOTS DE LA FAIM ET DE LA SOIF PARLENT DE NOUS

ambition: — avoir les dents longues
                  — avoir soif à avaler la mer et les poissons

aveux: — se mettre à table
                  — manger le morceau

bonheur: — le dos au feu, le ventre à table

chance: — avoir du pot
                  — avoir du bol

conciliation: — se laisser manger dans la main

contentement: — se gargariser

fermeté: — avoir quelque chose dans le ventre (ou le buffet)
                  — avoir l'estomac bien accroché

flagornerie: — lécher les bottes

gratitude: — la reconnaissance du ventre

handicap: — sourd comme un pot
                  — pot fêlé dure longtemps

hâte: — se manier le pot

humeur: — en avoir ras le bol
                  — ne pas avoir digéré quelque chose ou quelqu'un
                  — ne pas être dans son assiette
                  — en oublier le boire et le manger
                  — pot sans anse (qu'on ne sait par quel bout prendre)

insatisfaction: — se plaindre le ventre plein
                  — crier famine sur un tas de blé

maladresse: — mettre les pieds dans le plat

♦

orgueil:	— être imbu de soi-même — gonfler le jabot — se rengorger
peur:	— avoir les foies
plaisir:	— garder pour la bonne bouche
pouvoir:	— ne faire qu'une bouchée de quelqu'un
privation:	— s'enlever les morceaux de la bouche
servilité:	— porter le lunch
surprise:	— ouvrir des yeux comme des soucoupes (ou des tasses)

LA SAGESSE PROVERBIALE DES MOTS DE LA FAIM ET DE LA SOIF

SANTÉ
Qui dort dîne
Gros dîneur, mauvais dormeur
Qui est maître de sa soif est maître de sa santé (prov. breton)
Il y a plus de vieux ivrognes que de vieux médecins (Rabelais)
On ne vieillit pas à table (16e siècle)
Mangez à volonté, buvez en sobriété
Aujourd'hui en chère et demain en bière

DÉSIR
Il y a loin de la coupe aux lèvres
La faim chasse le loup du bois
La faim est mauvaise conseillère
L'appétit est le meilleur cuisinier (latin médiéval)

PLAISIR
Courte messe et long dîner est la joie du chevalier
De la panse vient la danse
Qui a honte de manger a honte de vivre

189

MORALE
Qui casse les verres les paie
Qui a bu boira
Gros mangeur mauvais donneur
Le ventre est l'outre des vices

Note: ces proverbes ont été trouvés entre autres dans le *Dictionnaire des proverbes, sentences et maximes* de Larousse, et dans le *Dictionnaire des Expressions et Locutions* des Usuels du Robert.
Voir *Bibliographie*.

Bibliographie

LANGUE

ANDRIEUX-REIX, Nelly, *Ancien français. Fiches de vocabulaire,* Études littéraires, Presses universitaires de France, Paris, 1987.

ATKINS, B.T., DUVAL, A., MILNE, R.C. et COUSIN, P.H., LEWIS, H.M.A., SINCLAIR, L.A., BIRKS, R.O., LAMY, M.N., *Dictionnaire français-anglais anglais-français,* Le Robert & Collins, Paris, Londres, Glasgow et Toronto, 1987.

BARBAUD, Philippe, *Le français sans façon. Chroniques de langage,* Hurtubise HMH ltée, Ville LaSalle, 1987.

BÉGUIN, Louis-Paul, *Un homme et son langage,* Éditions de l'Aurore, Montréal, 1977.

BÉLISLE, Louis-Alexandre, *Dictionnaire général de la langue française au Canada,* Québec, 1957.

BÉLISLE, Louis-Alexandre, *Dictionnaire nord-américain de la langue française,* Éd. Beauchemin, Ottawa, 1979.

BERGERON, Léandre, *Dictionnaire de la langue québécoise précédé de La charte de la langue québécoise,* Supplément 1981, Vlb éditeur et Léandre Bergeron, Montréal, 1981.

BLUM, Geneviève, *Les idiomatics. Français-anglais,* Inédit Point-Virgule, Éd. du Seuil, Paris, 1989.

BLUM, Geneviève, *Les idiomatics. Français-espagnol,* Inédit Point-Virgule, Éd. du Seuil, Paris, 1989.

BLUM, Geneviève, *Les idiomatics, Français-allemand,* Inédit Point-Virgule, Éd. du Seuil, Paris, 1989.

CARATINI, Roger, *Linguistique, L'universelle Bordas,* Bordas, Paris-Bruxelles-Montréal, 1972.

CELLARD, Jacques, *Ça mange pas de pain. 400 expressions familières ou voyoutes de France et du Québec,* Hachette, Paris, 1982.

CELLARD, Jacques et REY, Alain, *Dictionnaire du français non conventionnel,* Hachette, Paris, 1980.

CLAPIN, Sylva, *Dictionnaire canadien-français,* P.U.L., Québec, 1974. Réédition de l'édition originale de 1894.

COLIN, Jean-Paul, *Trésors des mots exotiques,* collection Le français retrouvé, Belin, Paris, 1986.

CORBEIL, Jean-Claude, *Dictionnaire thématique visuel,* Québec-Amérique, Montréal, 1986.

DAGENAIS, Gérard, *Dictionnaire des difficultés de la langue française au Canada,* Éditions Pedagogia inc., Québec-Montréal, 1967.

DAUZAT, Albert, DUBOIS, Jean et MITTERAND, Henri, *Nouveau dictionnaire étymologique et historique,* Références Larousse, Librairie Larousse, Paris, 1971.

DECAHORS, E., *Dictionnaire français-latin,* Librairie A. Hatier, Paris, s.d.

DENIS, Roland, *Les vingt siècles du français,* Éditions Fides, Montréal, 1949.

DES RUISSEAUX, Pierre, *Le livre des proverbes québécois.* Hurtubise HMH, Montréal, 1978.

DES RUISSEAUX, Pierre, *Le livre des expressions québécoises,* Hurtubise HMH, Montréal, 1978.

Dictionnaire du français Plus à l'usage des francophones d'Amérique, Centre éducatif et culturel inc., Montréal, 1988.

DUCHESNE, Alain et LEGUAY, Thierry, *L'obsolète, Dictionnaire des mots perdus,* France-Loisirs, Larousse, Paris, 1989.

DUNETON, Claude, *La puce à l'oreille,* Stock, Paris, 1978.

GARIEL, A., *Dictionnaire latin-français,* Librairie A. Hatier, Paris, s.d.

GERMA, Pierre, *Dictionnaire des expressions toutes faites,* Libre Expression, Montréal, 1987.

GREIMAS, A.-J., *Ancien français,* Références Larousse, Librairie Larousse, Paris, 1987.

GREVISSE, Maurice, *Le Bon Usage. Grammaire française,* Éditions J. Duculot, Gembloux, 1975.

BIBLIOGRAPHIE

GUILLEMARD, Colette. *Les mots d'origine gourmande,* collection Le français retrouvé, n° 14, Belin, Paris, 1986.

GUILLEMARD, Colette, *Les mots pittoresques de la table,* collection Le français retrouvé n° 18, Belin, Paris, 1987.

HAGÈGE, Claude, *Le français et les siècles,* Éditions Odile Jacob, Paris, 1987.

HÖFLER, Manfred, *Dictionnaire des anglicismes,* Références Larousse, Librairie Larousse, Paris, 1982.

HUGUET, Emond, *Mots disparus ou vieillis depuis le XVIe siècle,* Librairie E. Droz, Paris, 1935.

LAPOINTE, Raoul, *Des mots pittoresques et savoureux. Dictionnaire du parler populaire du Saguenay–Lac-Saint-Jean,* Archivhisto. Fédération des Sociétés d'histoire du Québec, Montréal, 1988.

Le grand Robert de la langue française. Dictionnaire alphabétique et analogique de la langue française de Paul Robert, 9 vol., Dictionnaires Le Robert, Paris, 1988.

MARTIN, Eman, *Locutions et proverbes: origine et explications,* Librairie Delagrave, Paris, 1925.

MERLE, Pierre, *Dictionnaire du français branché suivi du Guide du français tic et toc,* Point Virgule, Éditions du Seuil, Paris, 1986 et 1989.

Petit Robert. Dictionnaire de la langue française, Les Dictionnaires Robert-Canada s.c.c., Montréal-Paris, 1988.

PICOCHE, Jacqueline, *Dictionnaire étymologique du français,* Les usuels du Robert, Les Dictionnaires Robert-Canada s.c.c., Montréal, 1987.

RABELAIS, F., *2- Pantagruel. Tiers livre. Quart livre Livre cinquième. Extraits,* Classique Larousse, Paris, s.d.

RABELAIS, F., *1- Gargantua. Pantagruel. Livre second. Extraits,* Classiques Larousse, Paris, s.d.

REY, Alain et CHANTREAU, Sophie, *Dictionnaire des expressions et locutions,* Les usuels du Robert, Les Dictionnaires Robert-Canada s.c.c., Montréal, 1987.

ROGERS, David, *Dictionnaire de la langue québécoise rurale,* Vlb éditeur, Montréal, 1977.

WALTER, Henriette, *Le français dans tous les sens,* La fontaine des sciences, Éditions Robert Laffont s.a., Paris, 1988.

HISTOIRE ET GÉNÉRALITÉS

ARONDEL, M., BOUILLON, J., LE GOFF, J. et RUDEL, J., *Rome et le Moyen-Âge jusqu'en 1328,* Collection d'histoire Louis Girard, Bordas, 1966.

◆

Cafés, bistrots et compagnie, Brochure du Centre de création industrielle, Centre national d'art et de culture Georges Pompidou, Paris, 1977.

CASTELOT, André, *L'histoire à table,* Librairie académique Perrin, Paris, 1972.

COMMELIN, P., *Mythologie grecque et romaine,* France-Loisirs, Garnier Frères, Paris, 1960.

DOUVILLE, Raymond et CASANOVA, Jacques-Donat, *La vie quotidienne en Nouvelle-France, le Canada de Champlain à Montcalm,* Hachette, Paris, 1964.

DUMAS, Alexandre, *Le grand dictionnaire de cuisine d'Alexandre Dumas,* Éd. Henri Veyrier, 1978.

DUMAY, Raymond, *Guide du vin,* Stock, Paris, 1967.

FARB, Peter et ARMELAGOS, George, *Anthropologie des coutumes alimentaires,* Denoël, Paris, 1985.

FUNCK-BRENTANO, F., *La société sous l'ancien régime,* Flammarion, Paris, 1934.

GERMA, Pierre, *Depuis quand? Les origines des choses de la vie quotidienne,* Libre Expression, Montréal, 1981.

GISCARD D'ESTAING, Valérie-Anne (sous la direction de), *Le livre mondial des inventions,* Québec-Livres, Montréal, 1988.

JOBÉ, Joseph (sous la direction de), *Le grand livre du vin,* Édita, Lausanne, 1969.

MIGLIARI, Maria Luisa et AZZOLA, Alida, *La gastronomie, de la préhistoire à nos jours,* Éd. Atlas, Paris, 1982.

MOURRE, Michel, *Dictionnaire encyclopédique d'histoire,* Bordas, Paris, 1978.

Nouveau Larousse gastronomique, Librairie Larousse, Paris, 1960.

PERNOUD, Régine, *Lumière du Moyen-Âge,* Collection Pluriel, Éditions Grasset et Éditions Grasset et Fasquelle, Paris, 1944 et 1981.

PROVENCHER, Jean, *C'était l'automne. La vie rurale traditionnelle dans la Vallée du Saint-Laurent,* Boréal, Montréal, 1984.

PROVENCHER, Jean, *C'était le printemps. La vie rurale traditionnelle dans la Vallée du Saint-Laurent,* Boréal, Montréal, 1980.

PROVENCHER, Jean, *C'était l'été. La vie rurale traditionnelle dans la Vallée du Saint-Laurent,* Boréal, Montréal, 1982.

PROVENCHER, Jean, *C'était l'hiver. La vie rurale traditionnelle dans la Vallée du Saint-Laurent,* Boréal, Montréal, 1986.

TOUSSAINT-SAMAT, Maguelonne, *Histoire naturelle et morale de la nourriture,* Cultures, Bordas, Paris, 1987.

VISSER, Margaret, *Les dieux ont faim, histoire mythologique d'un simple repas,* Trad. de *Much depends on Dinner,* Québec-Amérique, Montréal, 1988.

Index

À petit manger bien boire, 84
Abreuvement, 80
Abreuver, 80
Abreuvoir, 80
Abstinence, 72, 75, 185
Acéré, 36
Achoppement, 58
Acide, 36, 37
Acidité, 36
Acidulé, 37
Acier, 36
Acre, 36
Acrimonie, 36
Acupuncteur, 36
Adolescent, 53
Adoucir, 37
Adulte, 53
Adultère, 81
Affamer, 23
Affriander, 43

Affriolant, 44, 185
Affrioler, 44
 afre, suffire, 66
Agapes, 173
Agrume, 36
Aigre, 37
Aigre-doux, 37
Aigrelet, 37
Aigreur, 36
Aigu, 36
Aiguière, 145
Aiguille, 36
Aiguiser, 36
 aille, suffixe, 90
Alcool (l') rend l'homme semblable à la bête, 89
Aliment, 53
Alimentation, 53
Alimenter, 53
Allécher, 43
Alouvi, 22

Alter ego, 81
Altéré (être), 24
Altérer, 81
Alternance, 81
Altitude, 53
Ambigu, 164
Amer, 36
Amertume, 36
Amorce, 59
Amoureux de caresme, 73, 185
Amphytrion, 99
Amuse-gueule, 27
Analecta, 177
Analecte, 177
Années de vaches maigres, 186
Anthropophage, 55
Anthropophagie, 22
Apéritif, 43, 124
Appas, 43, 185

Appât, 43, 154
Appâter, 154
Appétence, 43
Appétissant, 42
Appétissante (personne), 185
Appétissé (être), 42
Appétit, 42
Appétit (l') est le meilleur assaisonnement, 44
Appétit d'oiseau, 70
Appétit — catégories, 42
Appétit (rester sur son), 43
Appétit (l') vient en mangeant, 42, 43
Appétit (ouvrir l'), 43
Appétit (l') est le meilleur cuisinier, 189
Appétit sexuel, 185
Appétitif, 42
Appétition, 43
Appétits — herbes, 43
ard, suffixe, 90
Armée, 117
Armoire, 117
Armoire à glace, 117
Armoiries, 117
Armure, 117
Aromates, 46
Arôme, 46
Arrière-goût, 33
Arroser l'avaloir (s'), 86
Asseoir, 127
Assidu, 127
Assiette, 127, 128, 135
Assiette (ne pas être dans son), 188
Assiette profonde, 134
Assoiffer, 24
Au-cas-où, 162
Aube, 40
Auberge, 100
Auberge espagnole, 100
Aujourd'hui en chère et demain en bière, 189
Autrui, 81
Aval, 60
Avalanche, 60
Avalé (avoir) sa canne, 78
Avalé (avoir) sa langue, 78

Avaler, 60
Avale-tout-cru, 64
Avaler son acte de naissance, 78
Avaler des mouches, 78
Avaler des couleuvres, 78
Avaler n'importe quoi, 78
Avaler le morceau, 113, 188
Avant-goût, 33
Avoir un coup dans le nez, 91
Avoir un coup dans l'aile, 91
Avoir son voyage, 91
Avoir son quota, 91
Avoir laissé sa raison au fond d'un verre, 91
Avoir les épaules carrées, 91
Avoir son compte, 91
Avoir de la distorsion dans le cerveau, 91

Babil, 121
Babiller, 58
Babine, 58, 115, 120
Babines (s'en donner par les), 64
Babiole, 120
Babouin, 58, 121
Badigoinces, 58
Bafouiller, 61
Bâfrer, 61
Bâfreur, 64
Bagage, 116
Bagou, 30
Bagouler, 30
Bahuler, 115
Bahurer, 115
Bahut, 28, 115, 116
Bahut (piquer le), 116
Bahuté, 116
Bahuter, 115
Bahutiers (faire comme les), 116
Balloune, 91
Balloune (partir en), 91
Balloune (parti sur une), 91
Balthazar, 143, 168
Bambin, 120

Bambochades, 171
Bamboche, 171
Banquet, 168
Bar, 107
Barmaid, 180
Barman, 180
Barre, 107
Barrique, 28
Bas bout de la table, 113
Bavard, 121
Bavarder, 121
Bavasser, 121
Bave, 120
Baver, 169
Bavette du poêle, 121
Bavette (tailler une), 121
Bavette, 120
Baveux, 121
Bavoir, 120
Bec salé (avoir le), 39
Bec fin, 71
Becqueter, 55, 187
Bedaine, 28
Bedon, 28
Bedondaine, 28
Belligérant, 32
Béquille, 55
Béquiller, 55
Beuglant, 102
Beurre dans les épinards (mettre du), 50
Beverage (mot anglais), 79
Bibelot, 169
Biberon, 80, 82
Biberonner, 82
Bide, 28
Bidon, 28
Bienséance, 127
Bière d'Einbeck, 132
Bifteck (gagner son), 50
Binerie, 100
Bines, 100
Bisextile, 71
Bistouillé, 106
Bistouille, 106
Bistraud, 106
Bistroquet, 106
Bistrot (style), 107
Bistrot, 106
Bistrote, 106
Bistrouille, 106

196
◆

Bitte, 105
Biture, 91
Biturer (se), 91
Bla-bla, 58
Bobard, 169
Bobine, 115, 121
Bobo, 120
Bocage, 45
Bocal, 28
Bock, 132
Bœuf, 102
Boire, 79, 84
Boire comme un trou, 87
Boire comme un pompier, 87
Boire les paroles, 78
Boire comme une terre sèche, 87
Boire comme un templier, 87
Boire comme un chantre, 87
Boire comme un sonneur, 87
Boire comme une éponge, 87
Boire comme un musi-cien, 87
Boire comme un Polonais, 87
Boire et le manger (en oublier le), 188
Bois, 45
Boisdon, Jacques, 101
Boisson, 79, 80
Boit-sans-soif, 90
Bol, 128
Bol (en avoir ras le), 188
Bol (avoir du), 188
Bombance, 169
Bombarde, 170
Bombe, 169, 170
Bomber, 170
Bon à s'en lécher les doigts, 57
Bon appétit (avoir), 43
Bonbonne, 170
Bond, 170
Bosquet, 45
Bouche, 24, 26, 29, 30
Bouche de plus à nourrir (une), 26

Bouche du Roi, 26
Bouche (faire la fine), 71
Bouche (garder pour la bonne), 189
Bouche que veux-tu (s'embrasser à), 185
Bouchée de quelqu'un (ne faire qu'une), 189
Bouchée de pain (pour une), 187
Bouchées doubles (mettre les), 62, 187
Boucher, 26
Boucherie, 26
Bouches inutiles, 26
Bouchon, 45
Boudin, 28
Boue, 121
Bouffaille, 61
Bouffard, 61
Bouffe (bonne), 61
Bouffe (une petite), 61
Bouffé (avoir) du lion, 78
Bouffe-minute, 61
Bouffée, 61
Bouffer, 61, 115
Bouffer du curé, 78
Bouffer (se) le nez, 78
Bouffetance, 61
Bouffeur, 61, 64
Bouffi, 61
Bouffon, 61
Boui-boui, 102
Bouillir la marmite (faire), 50
Bouillon, 97
Bouillons Duval (les), 97
Boulimie, 22
Boulot, 54
Boulotter, 54
Bouquet, 45
Bouqueté, 45
Bouqueter, 45
Bourratif, 61
Bourre (emplir de), 61
Bourrer (se), 28, 61
Bourrer (se) la face, 64
Boustifaille, 61
Boustifailleur, 64
Bout de table (faire), 113
Boutanche, 143
Bouteille, 28, 139, 142

Bouteille (dive), 84
Bouteille (prendre de la), 143
Bouteille (bonne), 142
Bouteiller, 178
Bouteilles de Champagne: noms des, 143
Boutillier, 179
Brasser, 106
Brasserie, 106
Brasseur, 106
Breakfast (mot anglais), 155
Breuvage, 79, 80
Briffaud, 64
Briffer, 61
Briffetonner, 61
Bringue, 171
Brioche, 28
Briques (bouffer des), 73
Briques (s'enfiler des), 73
Brochetterie, 107
Brosse, 90
Brosser, 90
Brunch, 164
Bûcheron, 45
Buffet, 28, 115
Buffet (danser devant le), 73
Buffet froid, 115
Buffet (avoir quelque chose dans le), 188
Buffet de gare, 115
Buhote, 145
Buire, 145
Buisson, 45
Burette, 145
Buvard, 80
Buveurs, 90

Cabane à patates frites, 96
Cabaret, 102, 145
Cabaret de café, 105
Caboulot, 102
Cadenas, 122
Café, 104, 105
Café chrétien, 105
Café universitaire, 105
Café billard, 105
Café concert, 105
Café restaurant, 105

197

•

Café terrasse, 105
Cafétéria, 96
Caisse, 28
Caisse (prendre une), 91
Caisse (ramener sa), 91
Caisse (avoir sa), 91
Caler les joues (se), 64
Caler les amygdales (se), 64
Calice, 146
Calice (boire le) jusqu'à la lie, 146
Cambuse, 95
Cancer, 62
Canette, 143
Canne, 143
Cannes miellées, 38
Cannibale, 65
Cannibaliser, 64
Cantine, 95, 96, 107
Cantine ambulante, 95
Cantine mobile, 95
Canton, 96
Cantonnade (à la), 96
Cantonnement, 96
Cantonner, 96
Caquelon, 136
Carafe, 144
Carafe (être laissé en), 144
Carafe (bouchon de), 144
Carême, 72
Carême (arriver comme mars en), 73
Carême (faire), 73
Carême (face de), 73
Carême (arriver comme marée en), 73
Carême (long comme un), 73
Carême-prenant, 73
Carné, 50
Carnivore, 29
Cassé son bouton (avoir), 77
Casse-croûte, 107, 157, 159, 160
Casser la graine, 55
Casserole, 136
Cénacle, 172
Cène, 172
Cerises marasques, 36
Chagrin, 71
Chair, 50

Chair (œuvre de), 185
Chambre, 102
Chancre, 62
Chancrer, 62
Chape, 136
Charnier, 50
Chaud, 89
Chaudasse, 89
Chaudette, 89
Chef de table, 113
Cherche-midi, 165
Chère (faire bonne), 168
Chevaux, 40
Chicaner, 70, 71
Chichiou, 71
Chiper, 71
Chipoter, 70, 71, 186
Chiquenaude, 58
Choisir, 34
Choix, 34
Chope, 132
Choper, 70, 71
Ciboire, 146
Claquedents, 23
Cliton, 67
Cœur (lever le), 25
Cœur (resté sur le), 25
Coléoptère, 42
Collation, 161
Comédon, 52
Comestible, 51, 52
Commensal, 110, 172
Compagnie, 126
Compagnon, 126
Concierge, 176
Conserver, 176, 177
Consommer, 55, 185, 187
Constaté, 54
Constitué, 54
Convive, 171
Convivialité, 172
Copain, 126
Couardise, 67
Coup (prendre un), 86
Coup de l'étrier, 86
Coupe, 131
Couper le sifflet (se faire), 87
Coupes (Fêtes des), 131
Courte messe et long dîner est la joie du chevalier, 189

Courtil-le, 103
Couteau, 148, 149
Couteaux sur table (mettre), 149
Couteaux à, 149
Couteaux: noms de, 149
Coutre, 149
Couvercle, 121
Couvert (petit), 123
Couvert (grand), 123
Couvert (servir à), 122
Couvert, 121, 122, 123, 124
Couverture, 121
Couvre-plat, 136
Couvrir, 124
Craquement, 58
Crasse, 69
Cratère, 145
Créance, 114
Crédence, 114, 122
Crédencier, 115
Crédit, 114
Creux (aliment), 61
Creux (avoir un), 23
Crevaille, 170
Crève-faim, 23
Crever (la), 23
Criquet, 58
Croc, 58
Crochet, 58
Crocs (avoir les), 23
Croissanterie, 107
Croque-en-doigts, 161
Croque-lardons, 165
Croquer, 58, 70, 71
Croquer de l'argent, 187
Croustade, 160
Croustance, 160
Croustillant, 160
Croustiller, 160
Croûte (gagner sa), 160, 187
Croûte (casser la), 159, 160
Croûter, 160
Croûtonner, 160
Cruche (Tant va la) à l'eau qu'à la fin elle se casse, 141
Cruche, 141
Crustacé, 160

198
◆

Cuiller, 147
Cuiller (ne pas y aller avec le dos de la), 148
Cuiller (être à ramasser à la petite), 147
Cuiller d'argent dans la bouche (être né avec une), 186
Cuilleron, 147
Cuillers: noms de, 147
Cuit (être), 90
Cuite, 90
Cuiter (se), 90
Cul sec, 83
Cure-dents, 149
Cyathe, 145

Dapifer, 178
Débit, 105
Débit de boissons, 105
Débiter, 105
Déboire, 80
Décarêmer (se), 77
Dégingandé, 104
Déglutir, 30
Déglutition, 29, 30
Dégober, 63
Dégobiller, 30, 31, 63
Dégorgement, 30
Dégorger, 30
Dégoulinade, 30
Dégouliner, 30
Dégoût, 33
Dégueulasse, 29, 30
Dégueuler, 30
Dégurgitation, 30
Dégurgiter, 30
Dégustation, 33
Déjeuner, 155
Déjeuner à la fourchette, 150, 156
Déjeuner d'affaires, 161
Déjeuner de presse, 161
Déjeuner (petit), 157
Déjeuner- causerie, 161
Déjeuner-conférence, 161
Délectable, 43
Délectation, 44
Délecter, 44
Délicat, 43
Délices, 43
Délices de la chair, 185

Délicieux, 43
Denier, 51
Denrée, 51
Dent, 52
Dent (dans le creux de la grosse), 58
Dent (avoir quelque chose à se mettre sous la), 58
Dent (avoir la), 23
Dent (rien à se mettre sous la), 23
Dent longue (avoir la), 23
Dents longues (avoir les), 23, 188
Dépense, 27
Désaltérer, 81
Dessert, 176
Desserte, 113, 114, 177
Desservir, 113, 114
Dessous de table, 111, 139
Dessous-de-plat, 136
Dessus-de-plat, 136
Devanteau, 118
Dévergondé, 177
Devoir traîner sa civière, 91
Dévorer, 29
Dévorer un livre, 78
Dévorer des yeux, 78
Dévorer son capital, 187
Diet (mot anglais), 74
Diète (faire), 73
Diète, 74
Diététique, 74
Digérer, 32
Digérer (ne pas), 32, 188
Digestion (travail de la), 32
Dîner, 155, 156
Dîner par cœur, 73
Dipsomanie, 24
Disette, 71
Dithyrambe, 84
Divan, 103
Dorer la pilule, 38
Douceur, 37
Dressoir, 116

Ebriété, 85
Echalas, 70
Echalote, 70
Echanson, 178
Echansonnerie, 178

Ecluser, 86
Ecluser un godet, 86
Ecornifleur, 165
Ecot (payer son), 165, 187
Ecuelle, 126
Ecuelle à une femme (laver l'), 185
Ecuellier, 126
Ecume-marmite, 165
Ecuyer tranchant, 147, 177
Edulcorante (substance), 37
Edulcorer, 37
Egard, 177
Eglantine, 36
Égorgement, 31
Égorger, 31
Égorgeur, 31
Egruger, 59
Embaumer, 46
Embonpoint, 68
Eméché, 89
Empanser (s'), 62
Empiffrer (s'), 61, 88
Emplir son pourpoint, 28
Emplir la panse (s'), 62
En avoir dans le casque, 91
En-cas, 162
Energie, 171
Enfaler (s'), 63
Enfourner, 60
Engavaïr (s'), 60
Engloutir, 29, 30
Engloutissement, 30
Engorgement, 30, 63
Engorger, 30
Engotter (s'), 60
Engouement, 31, 63, 185
Engouer (s'), 31, 63
Engouffrer, 60
Engouler, 60, 64
Engoulevent, 30
Engueulade, 30
Engueuler, 30
Enthousiasme, 84
Entonner, 87
Envoyer un coup d'arrosoir (s'), 86
Epicé, 40
Épinocher, 70
Essay, 114, 122

199

◆

Estaminet, 102
Estomac, 24
Estomac (mettre dans son), 25
Estomac vide (avoir l'), 23
Estomac (avoir de l'), 25
Estomac frette, 25
Estomac dans les talons (avoir l'), 23
Estomac bien accroché (avoir l'), 188
Estomaqué, 25
Etable, 102
Etablissement, 102
Etage, 54
Etat, 54
Etouffer un (en), 86
Etrangler un (en), 86
Etre dans les vignes du Seigneur, 91
Etre gommé, 91
Etre rond comme une bille, 91
Etre rond comme un pois, 91
Etre en plein cirage, 89
Etre assomé, 91
Etre sonné, 91
Etre gai, 89
Etre groggy, 91
Etre knock-out, 91
eux, suffixe, 90
Exacerbé, 36
Exaltation, 53
Extraordinaire, 166

Fada, 41
Fadaise, 41
Fadeur, 41
Faim, 22, 43
Faim (mourir de), 23
Faim (et appétit), 41
Faim est mauvaise conseillère (la), 23, 189
Faim de loup, 23, 27
Faim (crever de), 23
Faim (calmer sa), 23
Faim (tromper sa), 23
Faim (apaiser sa), 23
Faim chasse le loup du bois (la), 189
Faim (crever de), 186

Faire du plat, 134
Fal (l)e, 64
Fal (l)e à l'air (la), 64
Famélique, 23
Famine, 72
Famine sur un tas de blé (crier), 188
Famine (crier), 186
Faséole, 100
Fatuité, 41
Fayot, 100
Festin, 166
Fève, 100
Fèves au lard, 100
Fiasco, 144
Fiasque, 144
Figue, 25
Flacon, 144
Flacon (Qu'importe le pourvu qu'on ait l'ivresse, 144
Flasque, 144
Flaveur, 46
Flying saucer (locution anglaise), 129
Foie, 25
Foies (avoir les), 189
Foire (faire la), 171
For intérieur, 81
Forboire, 81
Fourbu, 81
Fourche, 149
Fourchette, 149, 150
Fourchette (bonne), 150
Fourchette d'Adam, 150
Fourchette (belle), 150
Fourchette (coup de), 150
Fourchette tue plus de monde que l'épée (la), 151
Fourchette (on creuse sa tombe avec sa), 151
Fourchettes: noms de, 150
Fourchon, 149
Fourniment, 53
Frairie, 172
Franquette (bonne), 166
Friand, 44, 67
Friandise, 44, 67
Fringale, 22
Fringale (petite), 23
Pringale (tomber en), 23

Friper, 62
Fripier, 63
Fripon, 63
Friponner, 63
Fripouille, 63
Frire, 44
Froment, 76
Frugal, 76
Frugalité, 76
Frugivore, 29
Fruit, 76
Fumée, 45
Fumet, 45
Fût, 28

Gagne-pain, 50
Gala, 167
Galanterie, 167
Galéjade, 167
Galet, 83
Gambader, 104
Gamelle, 126, 127
Ganymède, 178
Garçon, 179
Garçons: noms de, 180
Garde, 176
Garde-nappe, 136
Garde-vaisselle, 133
Garder, 177
Garer, 176
Gargamelle, 29, 30
Gargantua, 29
Gargariser (se), 30, 86, 188
Gargarisme, 29, 30
Gargot, 30, 101
Gargote, 30, 100
Gargoter, 29, 30, 101
Gargotier, 30, 101
Gargouille, 29, 30
Gargouillement, 30
Gargouiller, 30, 101
Gargouillis, 29, 30
Gargoulette, 30
Garnir, 176
Gastronome, 25
Gastronomie, 25
Gaudeamus, 166
Gaudriole, 167
Gavage, 31
Gavé (être) de compliments, 78

Gaver, 30, 31, 63
Gavion, 31, 63
Gaviot, 31
Gazouillement, 31
Gazouiller, 31
Gazouillis, 31
Géophage, 55
Gérance, 32
Gestation, 32
Gigolo, 104
Gigoter, 104
Gigue, 104
Giguer, 104
Gîte (le) et le couvert, 123
Glotte, 29, 30
Glousser, 31
Glouton, 29, 30, 60, 64
Glouton, 30
Gloutonnerie, 30, 60
Gnathon, 67
Gobelet, 30, 31, 63, 132
Gobeleterie, 132
Gobelotter, 31, 63, 132
Gober, 30, 31, 63, 167
Gober l'hameçon, 78
Goberger (se), 30, 31, 63
Gobet, 63, 132
Gobeter, 132
Gobette, 31, 63, 132
Gobetter, 63
Gobichonner, 31, 132
Gobille, 31, 63
Godaille, 31, 167
Godailleur, 31
Gogaïlle, 167
Gogo (à), 167
Goguenard, 167
Goguette, 167
Goguettes, 167
Goinfre, 64, 65
Goinfresse, 65
Goître, 31
Gonzesse, 177
Gorge, 29, 30
Gorgée, 30
Gorgeon, 30, 83
Gorgeous (mot anglais), 31
Gorger (se), 63
Gorgeron, 31
Gorgoton, 29, 31
Gorlot, 29

Gosier, 29, 30
Gosier sec (avoir le), 24
Gouaille, 63
Gouailler, 31
Gouaillerie, 31
Gouailleur, 31
Goualante, 31
Goualer, 31
Gouffre, 29
Goujat, 65
Goulafre, 30, 65
Goule, 29, 66
Goulée, 30
Goulet, 30
Gouleyant, 30
Gouliafre, 30, 65
Goulot, 29, 30
Goulu, 29, 30, 60
Goulument, 60
Gourgousser, 29
Gourmand, 66
Gourmander, 66
Gourmandise, 67
Gourmandise tue plus de gens que l'épée (la), 151
Gourmands font leur fosse avec leurs dents (les), 151
Goût, 33
Goût (trouver à son), 185
Goûter, 33, 162
Goûter dinatoire, 164
Goûts (des) et des couleurs on ne discute pas, 22
Grailler, 64
Graillonner, 31
Grain, 59
Graindorge (les frères), 119
Graisse, 69
Graisser le toboggan (se), 86
Grandgousier, 29
Grandir, 53
Gras, 69
Gras comme un chantre, 69
Gras (manger), 69
Gras comme un chanoine, 69
Gras (jours), 69
Gras comme un voleur, 69

Gras comme un porc, 69
Gras comme un moine, 69
Gras dur (être), 186
Gras-double, 69
Grigne, 71
Grigner, 71
Grignoter, 70, 71, 187
Grincer, 71
Gris, 89
Grogner, 31
Grognon, 71
Grommeler, 31
Groom, 66
Gros, 69
Gros plein de soupe, 69
Gros mangeur mauvais donneur, 190
Gros dîneur mauvais dormeur, 189
Gros-gras, 69
Gruger, 59, 71
Guérir, 176
Guérite, 176
Gueulard, 30
Gueule (plein la), 60
Gueule, 29, 30
Gueulée, 30
Gueuler, 30
Gueuleton, 30
Gueuletonner, 30
Gueurlot, 29
Guindaille, 167
Guingois (de), 104
Guinguet, 104
Guinguette, 104
Guinguettes (quartier des), 104
Guttural, 31

Hall, 94
Halle, 94
Halographie, 40
Hanap, 131
Haricot, 100
Harnais, 100
Haut bout de la table, 113
Haut de la table, 113
Haut, 53
Héberger, 100
Héraldique, 100
Hérault, 100
Herbivore, 29

◆

Honneur (faire), 64
Honte bue (toute), 78
Hôpital, 98
Hospice, 98
Hospitalité, 98
Hostellerie, 98
Hôte, 99
Hôtel, 98
Hôtellerie, 98
Hôtesse, 99
Humecter les amygdales (s'), 86
Humer, 82
Hyperphagie, 22

Il y a de la houle, 91
Il y a plus de vieux ivrognes que de vieux médecins, 189
Il y a loin de la coupe aux lèvres, 189
Il n'est si méchant pot qui ne trouve son couvercle, 139
Imbiber, 80
Imbriaque, 85
Imbu, 80, 189
Imbuvable, 79
Impétueux, 42
In vino veritas, 84
In poculis (traiter une affaire), 187
Incruster, 160
Ingérer, 32
Ingurgitation, 30
Ingurgiter, 29, 30
Insipide, 34
Insipidité, 41
Instauré, 54
Institué, 54
Irrévérencieux, 177
Ivresse, 85
Ivrogne, 90

Jabot, 63
Jabot (se remplir le), 64
Jabot (gonfler le), 189
Jargon, 31
Jargonner, 31
Jeanne d'Arc, 77
Jéroboam, 143
Jeter une jatte (se), 86

Jeun (à), 72
Jeûne, 72, 74, 75
Joie, 167
Joindre les deux bouts, 118, 186
Joli(e) à croquer, 185
Joue, 26, 63
Jouer dans son assiette, 70
Joues (s'en donner par les), 64
Jouir, 167
Joyeux, 89

Kil, 143

La grande bouffe, 61
Lacordaire, 77
Laissé en carafe (être), 185
Laisser glisser un derrière la cravate (s'en), 86
Lampas, 88
Lampe, 28, 88
Lampée, 88
Lamper, 88
Langue, 29
Langue (tirer la), 35
Langue (tourner sept fois la), 35
Langue à terre, 35
Langue de vipère, 35
Langue bien pendue, 35
Langue (tirer la), 24
Lanterne, 28, 88
Laper, 82
Larigot, 88
Lavandier, 133
Laver les dents (se), 86
Le Viandier, 50
Léchage, 57
Lèche, 57
Lèche-doigts (à), 57
Lécher, 43
Lécher les bottes, 188
Lester (se), 64
Lever le coude, 86
Libations, 84
Liche-la-piastre, 187
Licher, 57
Lichette, 57
Licheux, 57

Lipide, 69
Lippée (franche), 165
Longière, 118
Louche, 147
Loufiat, 180
Lunch, 163, 189

Mâche-dru, 64
Mâcher la besogne, 78
Mâchiller, 56
Mâchoires (jouer des), 56
Mâchonner, 56
Mâchouiller, 56
Mafler, 61
Magnum, 143
Maigre, 69
Maigre comme un clou, 70
Maigre comme un cure-dents, 70
Maigre comme un pic, 70
Maigre repas, 69
Maigre salaire, 186
Maigres (jours), 69
Maître d'hôtel, 98
Mandibules (jouer des), 56
Mange ta main, garde l'autre pour demain, 73
Mangé (avoir) de l'ours, 78
Mangé (avoir) de la bouillie, 78
Mange pas de pain (ça ne), 186
Mangeaille, 56
Mangeard, 56
Mangeotter, 56
Manger, 56
Manger à s'empanser, 62
Manger ses mots, 78
Manger à s'en faire crever la panse, 62
Manger par cœur, 73
Manger les pissenlits par la racine, 78
Manger son prochain, 78
Manger la claque, 78
Manger comme un lapin, 64
Manger comme un défoncé, 64
Manger ses lacets de bottine, 78

◆

Manger à se déboutonner, 62
Manger à ventre déboutonné, 62
Manger une claque, 78
Manger à se faire péter la sous-ventrière, 28
Manger comme un cochon, 27
Manger comme un chancre, 62
Manger comme quatre, 62
Manger de la misère, 186
Manger de la soupe à la grimace, 185
Manger le morceau, 113
Manger à tous les râteliers, 186
Manger de la vache enragée, 186
Manger de la soupe aux herbes, 185
Manger son blé en herbe, 187
Manger des yeux (se), 185
Manger au râtelier de quelqu'un, 186
Manger dans la main (se laisser), 188
Manger de l'avoine, 185
Manger à la même écuelle, 186
Manger un morceau, 163
Mangez à volonté, buvez en sobriété, 189
Map (mot anglais), 118
Mappemonde, 118
Marasquin, 36
Marchandise, 67
Mardi-gras, 73
Margouiller, 60
Margoulette, 29, 30, 60
Margoulin, 30, 31
Margouline, 30, 31
Margouliner, 30, 31
Mastic, 56
Mastiquer, 56
Mastroquet, 106
Mathusalem, 143
Maussade, 34
Mauve, 40
Médianoche, 174

Ménagère, 151
Mense, 110
Mess, 95
Mettre de l'eau dans son vin, 76
Meurt-de-faim, 23
Midi dans l'estomac (avoir), 24
Midinette, 157
Miel indien, 38
Miséricorde, 162
Modération (la) a bien meilleur goût, 76
Modérer, 77
Moise, 110
Morceau, 59
Morceaux de la bouche (s'enlever les), 189
Mordée (prendre une), 58
Mordicus (y tenir), 59
Mordre, 59
Morfal, 64
Morfaler, 64
Morfalou, 64
Mors, 59
Mots doux, 39, 185
Mouiller la meule (se), 86
Mufflée, 89

Nabuchodonosor, 143
Nappe, 117, 118, 119
Nappe est toujours mise (où la), 119
Napperon, 119
Ne pas avoir le pied marin, 91
Ne pas avoir les yeux en face des trous, 91
Ne pas être dans son assiette, 128
Nef, 122
Nique, 165
Noce (faire la), 171
Noir, 89
Nourrice, 52
Nourrir, 52
Nourrir (se) d'illusions, 78
Nourrir sa famille, 187
Nourriture, 52
Nurse, 52
Nutrition, 53

Obèse, 52
Observer, 176, 177
Odontologie, 52
Oesophage, 27
Ogre, 64, 65
Omnivore, 29
On ne vieillit pas à table, 189
On n'est pas sorti de l'auberge, 100
Oral, 26
Ordinaire, 166
Orgie, 171
Orgue, 171
ot, suffixe, 90
Ours mal léché, 57
Outil, 151
Outils: nom d', 152
Ouvert, 123
Ouvrir, 124

P'tit coup de trop, 86
P'tit coup (un), 86
Pacage, 154
Paf, 88
Paffé, 88
Paître, 154
Palais, 35
Palais fin (avoir le), 35
Palais (flatter le), 35
Panier, 137
Pannetier, 133, 177
Panorama, 176
Panse, 27, 28
Panse de chanoine (avoir une), 27
Panse (avoir les yeux plus grands que la), 27
Panse vient la danse (de la), 189
Paqueter (se), 28, 88
Parfum, 45, 46
Part du lion (la), 186
Pasteur, 154
Patapouf, 88
Pataterie, 107
Patelin, 154
Patène, 146
Patère, 146
Pâtre, 154
Pâturage, 154
Pâture, 154

◆

Pâturer, 154
Payer rubis sur l'ongle, 187
Pépier, 87
Perche, 70
Persistance, 54
Petit goût, 34
Pétition, 42
    phage, 55
Phagocyter, 55
Phagocytose, 55
Piailler, 87
Piaule, 87
Pic, 70
Piccolo, 87
Pichet, 141
Picocher, 70
Picoler, 87
Picorer, 27, 70, 141
Picosser, 70
Picotement, 70
Piété, 161
Pif, 88
Pignocher, 70
Pigouiller, 70
Pigrasser, 70
Piler, 59
Pilier, 59, 102
Piloche, 59
Pilotis, 59
Pilule ensucrée, 38
Pimenté, 40
Pinailler, 71
Pinocher, 185
Pinter, 86
Pintocher, 86
Pioche, 70
Piper, 86
Pique, 165
Pique-assiette, 165
Pique-lardons, 165
Pique-nique, 164, 165
Piquer, 70, 141
Pitance, 161, 187
Pitancerie, 162
Pitancier, 162
Piteux, 161
Pitié, 161
Pivert, 70
Pizzeria, 107
Planutureuse, 68, 185
Plantureux, 170

Plat, 133, 134, 135, 136
Plat (en faire tout un), 136
Plat d'une reliure, 134
Plat d'une lame, 134
Plat de la main, 134
Plat (jouer du), 134
Plat (le) de la langue, 134
Plat de résistance, 136
Plat (faire du), 185
Plat (se mettre les pieds dans le), 135, 188
Plat (bon petit), 136
Plat d'argent (sur un), 134
Plateau, 134
Plateau d'argent (sur un), 134
Plats (mettre les petits) dans les grands, 135
Plats (en faire trois), 136
Plats (se mettre les pieds dans les), 135
Plats: nom des, 134
Plein la ceinture (s'en mettre), 62
Plein comme un œuf, 88
Plein la ceinture, 28
Plein comme une outre, 88
Plein comme un tonneau, 88
Plein comme un fût, 88
Plein comme un boudin, 88
Plein la lampe, 88
Plénitude, 170
Pocaille, 90
Pochard, 90, 141
Poche, 90, 148
Pochon, 90, 148
Poêle, 146
Poison, 79
Poitrine, 24
Poivré, 40
Poivre, 90
Poivrot, 90
Polyglotte, 29
Polyphagie, 22
Pomper, 86
Pompette, 89
Popote, 138
Porte-assiette, 136
Posséder, 127

Pot, 129, 135, 137, 138, 139, 140, 143
Pot (à la fortune du), 138
Pot (avoir du), 188
Pot (sourd comme un), 138, 188
Pot (tourner autour du), 138
Pot d'aumônes, 139
Pot (Tant va le) au puis que il quasse, 141
Pot sans anse, 188
Pot (mettre bébé sur le), 140
Pot de confrérie, 139
Pot (Tant va le) à l'eue que brise, 141
Pot (boire un), 139
Pot (se manier le), 188
Pot fêlé dure longtemps, 188
Pot-au-feu, 138
Pot-de-vin, 139, 186
Pot-pourri, 138
Potable, 79
Potage, 138
Potager, 138
Potasser, 138
Poterie, 139
Potion, 79
Potlouche, 148
Potomanie, 24
Pots à, 138
Pots de, 138
Pots cassés (payer les), 138
Pots (c'est dans les vieux) qu'on fait les bonnes soupes, 138
Pouce (manger sur le), 160
Pouf, 88
Pouffer, 88
Pourboire, 80
Pourlécher, 58
Préséance, 127
Préservatif, 177
Préserver, 176
Président, 127
Pris de boisson, 90
Procope (Le), 105
Profiter, 186

204
◆

Promesse d'ivrogne, 90
Prospère (avoir l'air), 186
Provisions de bouche, 26
Pub, 107

Quadragésime, 72
Quatre-heures, 162
Qui a bu boira, 90, 190
Qui a honte de manger a honte de vivre, 189
Qui est maître de sa soif est maître de sa santé, 189
Qui dort dîne, 189
Qui casse les verres les paie, 190

Ragoût, 33
Ragoûter (se), 185
Ramadan, 72
Ramdam, 72
Rassasié, 90
Rastel, 168
Râteliers (manger à tous les), 168
Ravaler, 60
Ravitailler, 51
Réfection, 95
Réfectoire, 95
Régal, 167
Régalade (boire à la), 83
Régaler, 83
Regarder, 177
Régime, 74
Régiment, 74
Régir, 74
Registre, 32
Règle, 74
Regorgement, 30
Regorger, 30
Régularité, 74
Régurgitation, 30
Régurgiter, 30
Remords, 59
Remplir le jabot (se), 62
Remplir son pourpoint, 62
Rengorger (se), 30, 189
Repaître, 154
Repas, 154
Repas maigre, 69
Repas (sauter un), 73
Repu, 154

Réserver, 176
Résident, 127
Résidu, 127
Restaurant, 96, 97
Restaurer, 54, 102
Restauroute, 97, 107
Restauvolant, 97
Restitué, 54
Réunion-déjeuner, 161
Réveillon, 174
Révérence, 177
Révérend, 177
Révérer, 176
Ribaud, 171
Ribote, 171
Rigoler, 167
Rincer la dalle (se), 86
Rincer le plomb (se), 86
Rincer le cornet (se), 86
Rincer le fusil (se), 86
Ripaille, 169
Robine, 90
Robineux, 90
Roi, 117
Rond de serviette, 133
Ronger, 59
Ronger (se) les sangs, 78
Roteuse, 143
Rôtisserie, 107
Roucouler, 31
Rouillarde, 143
Rouille, 143
Roulante, 95
Roulotte, 95
Rubbing alcohol, 90
Rumen, 27
Ruminer, 59

Sac-à-vin, 90
Saccharine, 37
Safre, 64, 66
Sagesse, 34
Sain, saine, 53
Sainte Table, 110, 119
Salaire de famine, 186
Salé, 39
Salée (note), 41, 187
Salée (punition), 41
Salées (blagues), 185
Saler, 39
Salive, 24, 39, 43
Salle, 94

Salle à dîner, 95
Salle à manger, 95
Salmanazar, 143
Salon, 95
Sandwicherie, 107
Sanglot, 30
Sangloter, 30
Saoul, 90
Sapide, 34
Satisfait, 90
Saturé, 90
Sauce, 40
Saucisse, 40
Saumalier, 179
Saumure, 40
Sauner, 40
Saunière, 40
Saupiquet, 40
Saupoudrer, 40
Saveur, 34
Savoir, 34
Savourer les instants, la présence, 185
Savoureux, 34
Science, 34
Sédentaire, 127
Sédiment, 127
Sel, 39
Selle, 127
Sénéchal, 178
Serf, 176
Sergent, 176
Serment d'ivrogne, 90
Servante, 114, 177, 180
Serveur, 179, 180
Serveuse, 180
Service, 176
Serviette, 118, 176
Servir, 114, 176
Serviteur, 180
Seyant, 127
Siffler son verre, 87
Sifflet, 87
Sirop, 82
Siroter, 82
Sobre, 85
Soif, 24, 43
Soif (avoir), 24
Soif s'en va en buvant (la), 24
Soif (faire), 24
Soif de l'or (la), 186

◆

Soif (garder une poire pour la), 187
Soif à avaler la mer et les poissons (avoir), 188
Soiffard, 90
Soiffer, 24
Sommelier, sommelière, 179
Soucoupe, 129, 187
Soucoupes (yeux grands comme des), 189
Soucoupiste, 129
Soûl, 90
Soûl comme un cochon, 89
Soûl comme un âne, 89
Soûl comme une grive, 89
Soûlard, 90
Soûlaud, 90
Soûlon, 90
Soûlot, 90
Soupe, 156
Souper, 156
Sour (mot anglais), 36
Sous-plat, 136
Soutasse, 129
Soutenir, 54
Stabilité, 54
Stand, 102
Stationné, 54
Statufié, 54
Steak (gagner son), 50
Stomatologie, 24
Stomatoscope, 24
Subalterne, 81
Succulent, 56
Sucer, 56, 86
Sucer quelqu'un jusqu'au dernier sou, 186
Sucer la pomme (se), 185
Sucer les amygdales (se), 185
Sucer la gaufre (se), 185
Sucer la poire (se), 185
Sucette, 56
Suçon, 56
Sucre, 37
Sucré, 37
Sucré (faire le), 37
Sucrer (se), 37, 186
Suri, 36
Surtout de table, 122

Sustentation, 54
Sustenter (se), 54
Symposiarque, 173
Symposium, 173

Tabagie, 103, 169
Table, 110, 111
Tabernacle, 101
Table (passer en-dessous de la), 73
Table (tenir), 111
Table ronde, 113
Table (manger à la grande), 113
Table (se mettre à), 113, 188
Table rase (faire), 112
Table (mettre la), 111
Table (dresser la), 111
Table (monter sur la), 113
Table (mettre sur), 113
Table (mettre les pieds sous la), 113
Table (excès de), 111
Table (enlever la), 111
Tableau, 110
Tabler, 110
Tables d'hôtes, 97
Tables (dresser les), 111
Tables: noms de différents types de tables, 110, 111, 112
Tablette, 110
Tablier, 110, 118, 120
Tablier (rendre son), 120
Tabliers: genres de, 120
Taille, 125
Tailler, 125
Tailler bien la parole à quelqu'un, 121
Tailler à quelqu'un, 121
Tambour, 28
Taper (se) la cloche, 64
Tasse, 129
Tasses (yeux grands comme des), 189
Taste (mot anglais), 35
Taste-vin, 35
Tâte-vin, 35
Taule, 112
Taulée, 112
Taupe, 40

Taverne, 101
Tempérament, 76
Tempérance, 76
Tempérer, 76
Tenir (se) mieux à table qu'à cheval, 64
Tétée, 82
Téter, 56, 82
Téter la chopine, la bouteille, 82
Tétin, 82
Tétine, 82
Téton, 82
Tette, 82
Thé, 163
Timbale, 132
Timbale (décrocher la), 133
Tire-larigot (boire à), 88
Tirer, 97
To drink (verbe anglais), 83
To set (verbe anglais), 127
To sit (verbe anglais), 127
Tôle, 112
Tonneau, 28
Torcher son assiette, 62
Torchon, 62
Tordre, 62
Tortiller, 62
Tortorer, 62
Touaille, 119
Toupin, 134
Tout sucre tout miel, 37
Traire, 97
Traite (payer la), 98
Traité, 98
Traiter, 98
Traiteur, 97
Trancher, 125, 126
Tranchoir, 125, 126
Transbahuter, 116
Trapèze, 114
Trempe, 77
Tremper, 77
Trinquer, 83
Troquet, 106
Trou du dimanche, 59

Usage, 151
Ustensile, 151
Ustensiles: noms d', 152

206

◆

Usufruit, 76
Utile, 151

Vaisseau, 125
Vaisselier, 117
Vaisselle, 125, 187
Vaisselle plate, 137
Vallée, 60
Vareuse, 176
Vasculaire, 125
Vasque, 125
Vau-l'eau (à), 60
Ventre, 24, 26, 28
Ventre (se frotter le), 73
Ventre (Tout ce qui entre fait), 27
Ventre affamé n'a point d'oreilles, 26
Ventre (bouder contre son), 73
Ventre (se brosser le), 73
Ventre déboutonné (à), 28
Ventre (Tenir les hommes par le), 27

Ventre creux (avoir le), 23, 26
Ventre (reconnaissance du), 188
Ventre (avoir quelque chose dans le), 188
Ventre plein (se plaindre le), 188
Ventre est l'outre des vices (le), 190
Ventre (se serrer le), 186
Ventre à table (le dos au feu le), 188
Verre, 129, 130
Verre (de plastique, de carton, de faïence, de métal), 130
Verre: flûte, 130
Verre: tulipe, 130
Verre: dé à coudre, 130
Verre: ballon, 130
Verres, 129, 130, 131
Viande, 50, 51, 172
Viander, 50

Viandier, 50
Viandis, 51
Victuailles, 51, 172
Vif, 172
Vin du marché, 139
Vinaigre, 36
Vital, 172
Vitre, 129
Vivace, 172
Vivant, 172
Vivier, 172
Vivre, 51, 172
Vivre de l'air du temps, 186
Vivre (le) et le couvert, 123
Vivres, 51, 172
Vivres (couper les), 186
Vivrier, 51
Vivrières (cultures), 51
Vivriers (les), 51
Voracité, 29

Table
des matières

Avant-propos 9

Chapitre 1
Petit traité d'anatomie-physiologie 21

Chapitre 2
Mangez, mangeurs! Buvez, buveurs! 49

Chapitre 3
Restau, bistrot, caboulot 93

Chapitre 4
L'accessoire, l'utile et le nécessaire 109

Chapitre 5
Symphonie pastorale 153

Chapitre 6
Sous le signe de Ganymède 175
En guise de conclusion 183
Bibliographie 191
Index 195

Ouvrages parus chez les éditeurs du groupe Sogides

LES ÉDITIONS DE L'HOMME

AFFAIRES

* **Acheter une franchise,** Levasseur, Pierre
* **Bourse, La,** Brown, Mark
* **Comprendre le marketing,** Levasseur, Pierre
* **Devenir exportateur,** Levasseur, Pierre
  Étiquette des affaires, L', Jankovic, Elena
* **Faire son testament soi-même,** Poirier, Me Gérald et Lescault-Nadeau, Martine
  Finances, Les, Hutzler, Laurie H.
  Gérer ses ressources humaines, Levasseur, Pierre

Gestionnaire, Le, Colwell, Marian
Informatique, L', Cone, E. Paul
* **Lancer son entreprise,** Levasseur, Pierre
  Leadership, Le, Cribbin, James
  Meeting, Le, Holland, Gary
  Mémo, Le, Reinold, Cheryl
* **Ouvrir et gérer un commerce de détail,** Roberge, C.-D. et Charbonneau, A.
  Patron, Le, Reinold, Cheryl
* **Stratégies de placements,** Nadeau, Nicole

ANIMAUX

Art du dressage, L', Chartier, Gilles
Cheval, Le, Leblanc, Michel
Chien dans votre vie, Le, Margolis, M. et Swan, C.
Éducation du chien de 0 à 6 mois, L', DeBuyser, Dr Colette et Dehasse, Dr Joël
* **Encyclopédie des oiseaux,** Godfrey, W. Earl
  Guide de l'oiseau de compagnie, Le, Dr R. Dean Axelson
  Guide des oiseaux, Le, T.1, Stokes, W. Donald
  Guide des oiseaux, Le, T.2, Stokes, W. Donald et Stokes, Q. Lilian

* **Mon chat, le soigner, le guérir,** D'Orangeville, Christian
  Observations sur les mammifères, Provencher, Paul
* **Papillons du Québec, Les,** Veilleux, Christian et Prévost, Bernard
  Petite ferme, T.1, Les animaux, Trait, Jean-Claude
  Vous et vos oiseaux de compagnie, Huard-Viau, Jacqueline
  Vous et vos poissons d'aquarium, Ganiel, Sonia
  Vous et votre beagle, Eylat, Martin
  Vous et votre berger allemand, Eylat, Martin

ANIMAUX

Vous et votre **boxer**, Herriot, Sylvain
Vous et votre **braque allemand**,
   Eylat, Martin
Vous et votre **caniche**, Shira, Sav
Vous et votre **chat de gouttière**,
   Mamzer, Annie
Vous et votre **chat tigré**, Eylat, Odette
Vous et votre **chihuahua**, Eylat, Martin
Vous et votre **chow-chow**,
   Pierre Boistel
Vous et votre **cocker américain**,
   Eylat, Martin
Vous et votre **collie**, Éthier, Léon
Vous et votre **dalmatien**, Eylat, Martin
Vous et votre **danois**, Eylat, Martin
Vous et votre **doberman**, Denis, Paula
Vous et votre **fox-terrier**, Eylat, Martin
Vous et votre **golden retriever**,
   Denis, Paula
Vous et votre **husky**, Eylat, Martin

Vous et votre **labrador**,
   Van Der Heyden, Pierre
Vous et votre **lévrier afghan**,
   Eylat, Martin
Vous et votre **lhassa apso**,
   Van Der Heyden, Pierre
Vous et votre **persan**, Gadi, Sol
Vous et votre **petit rongeur**,
   Eylat, Martin
Vous et votre **schnauzer**, Eylat, Martin
Vous et votre **serpent**, Deland, Guy
Vous et votre **setter anglais**,
   Eylat, Martin
Vous et votre **shih-tzu**, Eylat, Martin
Vous et votre **siamois**, Eylat, Odette
Vous et votre **teckel**, Boistel, Pierre
Vous et votre **terre-neuve**,
   Pacreau, Marie-Edmée
Vous et votre **yorkshire**,
   Larochelle, Sandra

ARTISANAT/BRICOLAGE

Art du pliage du papier, L',
   Harbin, Robert
* **Artisanat québécois, T.1**, Simard, Cyril
* **Artisanat québécois, T.2**, Simard, Cyril
* **Artisanat québécois, T.3**, Simard, Cyril
* **Artisanat québécois, T.4**, Simard, Cyril
   et Bouchard, Jean-Louis
* **Construire des cabanes d'oiseaux**,
   Dion, André

* **Encyclopédie de la maison québécoise**,
   Lessard, Michel et Villandré, Gilles
* **Encyclopédie des antiquités**,
   Lessard, Michel et Marquis, Huguette
* **J'apprends à dessiner**, Nassh, Joanna
Taxidermie moderne, La, Labrie, Jean
* **Tissage, Le**, Grisé-Allard, Jeanne et
   Galarneau, Germaine
Vitrail, Le, Bettinger, Claude

BIOGRAPHIES

* **Brian Orser - Maître du triple axel**,
   Orser, Brian et Milton, Steve
* **Dans la fosse aux lions**, Chrétien, Jean
* **Dans la tempête**, Lachance, Micheline
* **Duplessis, T.1 - L'ascension**,
   Black, Conrad
* **Duplessis, T.2 - Le pouvoir**,
   Black, Conrad
* **Ed Broadbent - La conquête obstinée
   du pouvoir**, Steed, Judy
* **Establishment canadien, L'**,
   Newman, Peter C.
* **Larry Robinson**, Robinson, Larry et
   Goyens, Christian
* **Michel Robichaud - Monsieur Mode**,
   Charest, Nicole

* **Monopole, Le**, Francis, Diane
* **Nouveaux riches, Les**,
   Newman, Peter C.
* **Paul Desmarais - Un homme et son em-
   pire**, Greber, Dave
* **Plamondon - Un cœur de rockeur**,
   Godbout, Jacques
* **Prince de l'Église, Le**, Lachance, Micheline
* **Québec Inc.**, Fraser, M.
* **Rick Hansen - Vivre sans frontières**,
   Hansen, Rick et Taylor, Jim
* **Saga des Molson, La**, Woods, Shirley
* **Sous les arches de McDonald's**,
   Love, John F.
* **Trétiak, entre Moscou et Montréal**,
   Trétiak, Vladislav

BIOGRAPHIES

* **Une femme au sommet - Son excellence Jeanne Sauvé,** Woods, Shirley E.

CARRIÈRE/VIE PROFESSIONNELLE

* **Choix de carrières, T.1,** Milot, Guy
* **Choix de carrières, T.2,** Milot, Guy
* **Choix de carrières, T.3,** Milot, Guy
  Comment rédiger son curriculum vitae, Brazeau, Julie
  Guide du succès, Le, Hopkins, Tom
* **Je cherche un emploi,** Brazeau, Julie
  Parlez pour qu'on vous écoute, Brien, Michèle

Relations publiques, Les, Doin, Richard et Lamarre, Daniel
Techniques de vente par téléphone, Porterfield, J.-D.
* **Test d'aptitude pour choisir sa carrière,** Barry, Linda et Gale
Une carrière sur mesure, Lemyre-Desautels, Denise
Vente, La, Hopkins, Tom

CUISINE

* **À table avec Sœur Angèle,** Sœur Angèle
* **Art d'apprêter les restes, L',** Lapointe, Suzanne
  Barbecue, Le, Dard, Patrice
* **Biscuits, brioches et beignes,** Saint-Pierre, A.
* **Boîte à lunch, La,** Lambert-Lagacé, Louise
  Brunches et petits déjeuners en fête, Bergeron, Yolande
  100 recettes de pain faciles à réaliser, Saint-Pierre, Angéline
* **Confitures, Les,** Godard, Misette
  Congélation de A à Z, La, Hood, Joan
  Congélation des aliments, La, Lapointe, Suzanne
  Conserves, Les, Sœur Berthe
  Crème glacée et sorbets, Lebuis, Yves et Pauzé, Gilbert
  Crêpes, Les, Letellier, Julien
  Cuisine au wok, Solomon, Charmaine
  Cuisine aux micro-ondes 1 et 2 portions, Marchand, Marie-Paul
* **Cuisine chinoise traditionnelle, La,** Chen, Jean
* **Cuisine créative Campbell, La,** Cie Campbell
  Cuisine facile aux micro-ondes, Saint-Amour, Pauline
* **Cuisine joyeuse de Sœur Angèle, La,** Sœur Angèle
  Cuisine micro-ondes, La, Benoît, Jehane

* **Cuisine santé pour les aînés,** Hunter, Denyse
  Cuisiner avec le four à convection, Benoît, Jehane
* **Cuisiner avec les champignons sauvages du Québec,** Leclerc, Claire L.
  Faire son pain soi-même, Murray Gill, Janice
* **Faire son vin soi-même,** Beaucage, André
  Fine cuisine aux micro-ondes, La, Dard, Patrice
  Fondues et flambées de maman Lapointe, Lapointe, Suzanne
  Fondues, Les, Dard, Patrice
  Je me débrouille en cuisine, Richard, Diane
  Livre du café, Le, Letellier, Julien
  Menus pour recevoir, Letellier, Julien
  Muffins, Les, Clubb, Angela
  Nouvelle cuisine micro-ondes I, La, Marchand, Marie-Paul et Grenier, Nicole
  Nouvelles cuisine micro-ondes II, La, Marchand, Marie-Paul et Grenier, Nicole
  Omelettes, Les, Letellier, Julien
  Pâtes, Les, Letellier, Julien
* **Pâtisserie, La,** Bellot, Maurice-Marie
* **Recettes au blender,** Huot, Juliette
* **Recettes de gibier,** Lapointe, Suzanne
* **Robot culinaire, Le,** Martin, Pol

DIÉTÉTIQUE

Combler ses besoins en calcium,
Hunter, Denyse
* Compte-calories, Le, Brault-Dubuc, M.
et Caron Lahaie, L.
* Cuisine du monde entier avec Weight
Watchers, Weight Watchers
Cuisine sage, Une, Lambert-Lagacé,
Louise
Défi alimentaire de la femme, Le,
Lambert-Lagacé, Louise
* Diète Rotation, La, Katahn, Dr Martin
* Diététique dans la vie quotidienne,
Lambert-Lagacé, Louise
Livre des vitamines, Le, Mervyn, Leonard
Menu de santé, Lambert-Lagacé, Louise
Oubliez vos allergies, et… bon appétit,
Association de l'information sur les
allergies

* Petite et grande cuisine végétarienne,
Bédard, Manon
* Plan d'attaque Weight Watchers, Le,
Nidetch, Jean
* Plan d'attaque Plus Weight Watchers,
Le, Nidetch, Jean
* Régimes pour maigrir,
Beaudoin, Marie-Josée
Sage bouffe de 2 à 6 ans, La,
Lambert-Lagacé, Louise
* Weight Watchers - Cuisine rapide et
savoureuse, Weight Watchers
* Weight Watchers - Agenda 85 -
Français, Weight Watchers
* Weight Watchers - Agenda 85 -
Anglais, Weight Watchers
* Weight Watchers - Programme -
Succès Rapide, Weight Watchers

ENFANCE

* Aider son enfant en maternelle,
Pedneault-Pontbriand, Louise
Années clés de mon enfant, Les,
Caplan, Frank et Thérèsa
Art de l'allaitement maternel, L',
Ligue internationale La Leche
Avoir un enfant après 35 ans,
Robert, Isabelle
Bientôt maman, Whalley, J., Simkin, P.
et Keppler, A.
Comment nourrir son enfant,
Lambert-Lagacé, Louise
Deuxième année de mon enfant, La,
Caplan, Frank et Thérèsa
Développement psychomoteur du
bébé, Calvet, Didier
Douze premiers mois de mon enfant,
Les, Caplan, Frank
* En attendant notre enfant,
Pratte-Marchessault, Yvette
* Enfant unique, L', Peck, Ellen
Évoluer avec ses enfants,
Gagné, Pierre-Paul
Exercices aquatiques pour les futures
mamans, Dussault, J. et Demers, C.
* Femme enceinte, La,
Bradley, Robert A.

* Futur père, Pratte-Marchessault, Yvette
Jouons avec les lettres,
Doyon-Richard, Louise
Langage de votre enfant, Le,
Langevin, Claude
Mal des mots, Le, Thériault, Denise
Manuel Johnson et Johnson des
premiers soins, Le, Rosenberg,
Dr Stephen N.
Massage des bébés, Le,
Auckette, Amédia D.
Mon enfant naîtra-t-il en bonne santé?
Scher, Jonathan et Dix, Carol
* Pour bébé, le sein ou le biberon?
Pratte-Marchessault, Yvette
* Pour vous future maman, Sekely, Trude
Préparez votre enfant à l'école,
Doyon-Richard, Louise
Psychologie de l'enfant de 0 à 10 ans,
Cholette-Pérusse, Françoise
Respirations et positions
d'accouchement, Dussault, Joanne
Soins de la première année de bébé,
Les, Kelly, Paula
Tout se joue avant la maternelle,
Ibuka, Masaru

ÉSOTÉRISME

Avenir dans les feuilles de thé, L,
Fenton, Sasha
Graphologie, La, Santoy, Claude
Interprétez vos rêves, Stanké, Louis
Lignes de la main, Stanké, Louis

Lire dans les lignes de la main,
Morin, Michel
Vos rêves sont des miroirs, Cayla, Henri
Votre avenir par les cartes,
Stanké, Louis

HISTOIRE

* Arrivants, Les, Collectif
* Civilisation chinoise, La, Guay, Michel
* Or des cavaliers thraces, L',
Palais de la civilisation

* Samuel de Champlain,
Armstrong, Joe C.W.

JARDINAGE

* Chasse-insectes pour jardins, Le,
Michaud, O.
* Comment cultiver un jardin potager,
Trait, J.-C.
* Encyclopédie du jardinier,
Perron, W. H.
* Guide complet du jardinage,
Wilson, Charles
J'aime les azalées, Deschênes, Josée
J'aime les cactées, Lamarche, Claude
J'aime les rosiers, Pronovost, René
J'aime les tomates, Berti, Victor

J'aime les violettes africaines,
Davidson, Robert
Jardin d'herbes, Le, Prenis, John
* Je me débrouille en aménagement
extérieur, Bouillon, Daniel et
Boisvert, Claude
* Petite ferme, T.2- Jardin potager,
Trait, Jean-Claude
* Plantes d'intérieur, Les, Pouliot, Paul
* Techniques de jardinage, Les,
Pouliot, Paul
Terrariums, Les, Kayatta, Ken

JEUX/DIVERTISSEMENTS

* Améliorons notre bridge,
Durand, Charles
* Bridge, Le, Beaulieu, Viviane
* Clés du scrabble, Les, Sigal, Pierre A.
Dictionnaire des mots croisés, noms
communs, Lasnier, Paul
Dictionnaire des mots croisés, noms
propres, Piquette, Robert
Dictionnaire raisonné des mots croisés,
Charron, Jacqueline

* Jouons ensemble, Provost, Pierre
Livre des patiences, Le, Bezanovska, M.
et Kitchevats, P.
Monopoly, Orbanes, Philip
* Ouverture aux échecs, Coudari, Camille
* Scrabble, Le, Gallez, Daniel
Techniques du billard, Morin, Pierre

LINGUISTIQUE

Anglais par la méthode choc, L',
Morgan, Jean-Louis
J'apprends l'anglais, Sillicani, Gino et
Grisé-Allard, Jeanne

* Secrétaire bilingue, La, Lebel, Wilfrid

LIVRES PRATIQUES

* Acheter ou vendre sa maison,
  Brisebois, Lucille
* Assemblées délibérantes, Les,
  Girard, Francine
  Chasse-insectes dans la maison, Le,
  Michaud, O.
  Chasse-taches, Le, Cassimatis, Jack
* Comment réduire votre impôt,
  Leduc-Dallaire, Johanne
* Guide de la haute-fidélité, Le,
  Prin, Michel
  Je me débrouille en aménagement
  intérieur, Bouillon, Daniel et
  Boisvert, Claude
  Livre de l'étiquette, Le, du Coffre,
  Marguerite
* Loi et vos droits, La,
  Marchand, Me Paul-Émile
* Maîtriser son doigté sur un clavier,
  Lemire, Jean-Paul
* Mécanique de mon auto, La, Time-Life
* Mon automobile, Collège Marie-Victorin
  et Gouv. du Québec

Notre mariage (étiquette et
  planification),
  du Coffre, Marguerite
* Petits appareils électriques,
  Collaboration
  Petit guide des grands vins, Le,
  Orhon, Jacques
* Piscines, barbecues et patio,
  Collaboration
* Roulez sans vous faire rouler, T.3,
  Edmonston, Philippe
  Séjour dans les auberges du Québec,
  Cazelais, Normand et
  Coulon, Jacques
  Se protéger contre le vol,
  Kabundi, Marcel et
  Normandeau, André
* Tout ce que vous devez savoir sur le
  condominium, Dubois, Robert
  Univers de l'astronomie, L',
  Tocquet, Robert
  Week-end à New York, Tavernier-
  Cartier, Lise

MUSIQUE

Chant sans professeur, Le,
  Hewitt, Graham
Guitare, La, Collins, Peter
Guitare sans professeur, La,
  Evans, Roger

Piano sans professeur, Le, Evans, Roger
Solfège sans professeur, Le,
  Evans, Roger

NOTRE TRADITION

* Encyclopédie du Québec, T.2,
  Landry, Louis
  Généalogie, La, Faribeault-Beauregard,
  M. et Beauregard Malak, E.
* Maison traditionnelle au Québec, La,
  Lessard, Michel

* Moulins à eau de la vallée du Saint-
  Laurent, Les, Villeneuve, Adam
* Sculpture ancienne au Québec, La,
  Porter, John R. et Bélisle, Jean
* Temps des fêtes au Québec, Le,
  Montpetit, Raymond

PHOTOGRAPHIE

Apprenez la photographie avec
  Antoine Désilets, Désilets, Antoine
8/Super 8/16, Lafrance, André
Fabuleuse lumière canadienne,
  Hines, Sherman
* Initiation à la photographie,
  London, Barbara

* Initiation à la photographie-Canon,
  London, Barbara
* Initiation à la photographie-Minolta,
  London, Barbara
* Initiation à la photographie-Nikon,
  London, Barbara

PHOTOGRAPHIE

* Initiation à la photographie-Olympus,
  London, Barbara
* Initiation à la photographie-Pentax,
  London, Barbara

Photo à la portée de tous, La,
Désilets, Antoine

PSYCHOLOGIE

Aider mon patron à m'aider,
  Houde, Eugène
* Amour de l'exigence à la préférence,
  L', Auger, Lucien
Apprivoiser l'ennemi intérieur,
  Bach, Dr G. et Torbet, L.
Art d'aider, L', Carkhuff, Robert R.
Auto-développement, L', Garneau, Jean
* Bonheur au travail, Le, Houde, Eugène
Bonheur possible, Le, Blondin, Robert
Ces hommes qui méprisent les
  femmes... et les femmes qui les
  aiment, Forward, Dr S. et
  Torres, J.
Changer ensemble, les étapes du
  couple, Campbell, Suzan M.
Chimie de l'amour, La,
  Liebowitz, Michael
Comment animer un groupe,
  Office Catéchèse
Comment déborder d'énergie,
  Simard, Jean-Paul
Communication dans le couple, La,
  Granger, Luc
Communication et épanouissement
  personnel, Auger, Lucien
Contact, Zunin, L. et N.
Découvrir un sens à sa vie avec la logo-
  thérapie, Frankl, D^r V.
* Dynamique des groupes, Aubry, J.-M.
  et Saint-Arnaud, Y.
Élever des enfants sans perdre la
  boule, Auger, Lucien
Enfants de l'autre, Les, Paris, Erna
Être soi-même, Corkille Briggs, D.
Facteur chance, Le, Gunther, Max
Infidélité, L', Leigh, Wendy
Intuition, L', Goldberg, Philip
* J'aime, Saint-Arnaud, Yves
Journal intime intensif, Le, Progoff, Ira
Mensonge amoureux, Le,
  Blondin, Robert
Parce que je crois aux enfants,
  Ruffo, Andrée

Parle-moi... j'ai des choses à te dire,
  Salomé, Jacques
Perdant / Gagnant - Réussissez vos
  échecs, Hyatt, Carole et
  Gottlieb, Linda
* Personne humaine, La ,
  Saint-Arnaud, Yves
* Plaisirs du stress, Les,
  Hanson, Dr Peter, G.
Pourquoi l'autre et pas moi? - Le droit
  à la jalousie, Auger, Dr Louise
Prévenir et surmonter la déprime,
  Auger, Lucien
* Prévoir les belles années de la retraite,
  D. Gordon, Michael
* Psychologie de l'amour romantique,
  Branden, D^r N.
Puissance de l'intention, La,
  Leider, R.-J.
S'affirmer et communiquer, Beaudry,
  Madeleine et Boisvert, J.R.
S'aider soi-même, Auger, Lucien
S'aider soi-même d'avantage,
  Auger, Lucien
* S'aimer pour la vie, Wanderer, Dr Zev
Savoir organiser, savoir décider,
  Lefebvre, Gérald
Savoir relaxer pour combattre le
  stress, Jacobson, Dr Edmund
Se changer, Mahoney, Michael
Se comprendre soi-même par les tests,
  Collectif
Se connaître soi-même, Artaud, Gérard
* Se créer par la Gestalt, Zinker, Joseph
* Se guérir de la sottise, Auger, Lucien
Si seulement je pouvais changer!
  Lynes, P.
Tendresse, La, Wolfl, N.
Vaincre ses peurs, Auger, Lucien
Vivre avec sa tête ou avec son cœur,
  Auger, Lucien

ROMANS/ESSAIS/DOCUMENTS

* **Baie d'Hudson, La,** Newman, Peter, C.
* **Conquérants des grands espaces, Les,** Newman, Peter, C.
* **Des Canadiens dans l'espace,** Dotto, Lydia
* **Dieu ne joue pas aux dés,** Laborit, Henri
* **Frères divorcés, Les,** Godin, Pierre
* **Insolences du Frère Untel, Les,** Desbiens, Jean-Paul
* **J'parle tout seul,** Coderre, Émile

Option Québec, Lévesque, René
* **Oui,** Lévesque, René
* **Provigo,** Provost, René et Chartrand, Maurice
Sur les ailes du temps (Air Canada), Smith, Philip
* **Telle est ma position,** Mulroney, Brian
* **Trois semaines dans le hall du Sénat,** Hébert, Jacques
* **Un second souffle,** Hébert, Diane

SANTÉ/BEAUTÉ

* **Ablation de la vésicule biliaire, L',** Paquet, Jean-Claude
* **Ablation des calculs urinaires, L',** Paquet, Jean-Claude
* **Ablation du sein, L',** Paquet, Jean-claude
* **Allergies, Les,** Delorme, Dr Pierre
Bien vivre sa ménopause, Gendron, Dr Lionel
Charme et sex-appeal au masculin, Lemelin, Mireille
Chasse-rides, Leprince, C.
* **Chirurgie vasculaire, La,** Paquet, Jean-Claude
Comment devenir et rester mince, Mirkin, Dr Gabe
De belles jambes à tout âge, Lanctôt, D^r G.
* **Dialyse et la greffe du rein, La,** Paquet, Jean-Claude
Être belle pour la vie, Bronwen, Meredith
Glaucomes et les cataractes, Les, Paquet, Jean-Claude
* **Grandir en 100 exercices,** Berthelet, Pierre
* **Hernies discales, Les,** Paquet, Jean-Claude
Hystérectomie, L', Alix, Suzanne
Maigrir: La fin de l'obsession, Orbach, Susie
* **Malformations cardiaques congénitales, Les,** Paquet, Jean-Claude
Maux de tête et migraines, Meloche, Dr J. , Dorion, J.
Perdre son ventre en 30 jours H-F, Burstein, Nancy et Roy, Matthews

* **Pontage coronarien, Le,** Paquet, Jean-Claude
* **Prothèses d'articulation,** Paquet, Jean-Claude
* **Redressements de la colonne,** Paquet, Jean-Claude
* **Remplacements valvulaires, Les,** Paquet, Jean-Claude
Ronfleurs, réveillez-vous, Piché, Dr J. et Delage, J.
Syndrome prémenstruel, Le, Shreeve, Dr Caroline
Travailler devant un écran, Feeley, Dr Helen
30 jours pour avoir de beaux cheveux, Davis, Julie
30 jours pour avoir de beaux ongles, Bozic, Patricia
30 jours pour avoir de beaux seins, Larkin, Régina
30 jours pour avoir de belles fesses, Cox, D. et Davis, Julie
30 jours pour avoir un beau teint, Zizmon, Dr Jonathan
30 jours pour cesser de fumer, Holland, Gary et Weiss, Herman
30 jours pour mieux s'organiser, Holland, Gary
30 jours pour redevenir un couple amoureux, Nida, Patricia et Cooney, Kevin
30 jours pour un plus grand épanouissement sexuel, Schneider, A.
Vos dents, Kandelman, Dr Daniel
Vos yeux, Chartrand, Marie et Lepage-Durand, Micheline

SEXUALITÉ

Contacts sexuels sans risques,
I.A.S.H.S.
* Guide illustré du plaisir sexuel,
Corey, Dr Robert et Helg, E.
Ma sexualité de 0 à 6 ans,
Robert, Jocelyne
Ma sexualité de 6 à 9 ans,
Robert, Jocelyne
Ma sexualité de 9 à 12 ans,
Robert, Jocelyne
Mille et une bonnes raisons pour le
convaincre d'enfiler un condom et
pourquoi c'est important pour
vous..., Bretman, Patti,
Knutson, Kim et Reed, Paul

* Nous on en parle, Lamarche, M. et
Danheux, P.
Pour jeunes seulement, photoroman
d'éducation à la sexualité,
Robert, Jocelyne
Sexe au féminin, Le, Kerr, Carmen
Sexualité du jeune adolescent, La,
Gendron, Lionel
Shiatsu et sensualité, Rioux, Yuki
* 100 trucs de billard, Morin, Pierre

SPORTS

Apprenez à patiner, Marcotte, Gaston
Arc et la chasse, L', Guardo, Greg
Armes de chasse, Les,
Petit-Martinon, Charles
Badminton, Le, Corbeil, Jean
* Canadiens de 1910 à nos jours, Les,
Turowetz, Allan et Goyens, C.
Carte et boussole, Kjellstrom, Bjorn
Comment se sortir du trou au golf,
Brien, Luc
Comment vivre dans la nature,
Rivière, Bill
Corrigez vos défauts au golf,
Bergeron, Yves
* Curling, Le, Lukowich, E.
De la hanche aux doigts de pieds,
Schneider, Myles J. et
Sussman, Mark D.
Devenir gardien de but au hockey,
Allaire, François
Golf au féminin, Le, Bergeron, Yves
Grand livre des sports, Le,
Groupe Diagram
Guide complet de la pêche à la
mouche, Le, Blais, J.-Y.
Guide complet du judo, Le, Arpin, Louis
Guide complet du self-defense, Le,
Arpin, Louis
Guide de l'alpinisme, Le,
Cappon, Massimo
Guide de la survie de l'armée
américaine, Le, Collectif
Guide des jeux scouts, Association des
scouts
Guide du trappeur, Le, Provencher, Paul
Initiation à la planche à voile, Wulff, D.
et Morch, K.

J'apprends à nager, Lacoursière, Réjean
Je me débrouille à la chasse,
Richard, Gilles et Vincent, Serge
Je me débrouille à la pêche,
Vincent, Serge
Je me débrouille à vélo,
Labrecque, Michel et Boivin, Robert
Je me débrouille dans une
embarcation, Choquette, Robert
Jogging, Le, Chevalier, Richard
* Jouez gagnant au golf, Brien, Luc
* Larry Robinson, le jeu défensif,
Robinson, Larry
Manuel de pilotage, Transport Canada
Marathon pour tous, Le, Anctil, Pierre
Maxi-performance, Garfield, Charles A.
et Bennett, Hal Zina
Mon coup de patin, Wild, John
Musculation pour tous, La,
Laferrière, Serge
* Partons en camping, Satterfield, Archie
et Bauer, Eddie
Partons sac au dos, Satterfield, Archie
et Bauer, Eddie
Passes au hockey, Chapleau, Claude
Pêche à la mouche, La, Marleau, Serge
Pêche à la mouche, Vincent, Serge
Planche à voile, La, Maillefer, Gérard
Programme XBX, Aviation Royale du
Canada
Racquetball, Corbeil, Jean
Racquetball plus, Corbeil, Jean
Rivières et lacs canotables, Fédération
québécoise du canot-camping
S'améliorer au tennis, Chevalier Richard
Saumon, Le, Dubé, J.-P.

SPORTS

Secrets du baseball, Les,
    Raymond, Claude
Ski de randonnée, Le, Corbeil, Jean
Taxidermie, La, Labrie, Jean
Taxidermie moderne, La, Labrie, Jean
Techniques du billard, Morin, Pierre
Techniques du golf, Brien, Luc
Techniques du hockey en URSS,
    Dyotte, Guy

Techniques du ski alpin, Campbell, S.,
    Lundberg, M.
Techniques du tennis, Ellwanger
Tennis, Le, Roch, Denis
* **Viens jouer,** Villeneuve, Michel José
Vivre en forêt, Provencher, Paul
Volley-ball, Le, Fédération de volley-ball

**le jour,
éditeur**

ANIMAUX

* **Poissons de nos eaux,** Melançon, Claude

ACTUALISATION

**Agressivité créatrice, L' - La nécessité
de s'affirmer,** Bach, Dr G.-R.,
Goldberg, D^r H.
Aimer, c'est choisir d'être heureux,
Kaufman, B.-N.
**Arrête! tu m'exaspères - Protéger son
territoire,** Bach, Dr G., Deutsch, R.
Ennemis intimes, Bach, Dr G.,
Wyden, P.
**Enseignants efficaces - Enseigner et
être soi-même,** Gordon, D^r T.
États d'esprit, Glasser, W.
Focusing - Au centre de soi,
Gendlin, Dr E.T.

**Jouer le tout pour le tout, le jeu de la
vie,** Frederick, C.
**Manifester son affection -De la soli-
tude à l'amour,** Bach, Dr G.,
Torbet, L.
Miracle de l'amour, Kaufman, B.-N.
**Nouvelles relations entre hommes et
femmes,** Goldberg, D^r H.
* **Parents efficaces,** Gordon, D^r T.
**Se vider dans la vie et au travail -
Burnout,** Pines, A. , Aronson, E.
Secrets de la communication, Les,
Bandler, R., Grinder, J.

DIVERS

* **Coopératives d'habitation, Les,**
Leduc, Murielle
* **Hiérarchie ethnique dans la grande
entreprise,** Rainville, Jean

* **Initiation au coopératisme,**
Bédard, Claude
* **Lune de trop, Une,** Gagnon, Alphonse

ÉSOTÉRISME

Astrologie pratique, L',
  Reinicke, Wolfgang
Grand livre de la cartomancie, Le,
  Von Lentner, G.
Grand livre des horoscopes chinois, Le,
  Lau, Theodora

* Horoscope chinois, Del Sol, Paula
Lu dans les cartes, Jones, Marthy
Synastrie, La, Thornton, Penny
Traité d'astrologie, Hirsig, H.

GUIDES PRATIQUES/JEUX/LOISIRS

* 1,500 prénoms et significations,
  Grisé-Allard, J.

* Backgammon, Lesage, D.

NOTRE TRADITION

* Lettre à un Français qui veut émigrer
  au Québec, Dubuc, Carl

PSYCHOLOGIE/VIE AFFECTIVE ET PROFESSIONNELLE

Adieu, Halpern, Dr Howard
Adieu Tarzan, Franks, Helen
Aimer son prochain comme soi-même,
  Murphy, Dr Joseph
* Anti-stress, L', Eylat, Odette
Apprendre à vivre et à aimer,
  Buscaglia, L.
Art d'engager la conversation et de se
  faire des amis, L', Gabor, Don
Art de convaincre, L', Heinz, Ryborz
* Art d'être égoïste, L', Kirschner, Joseph
Autre femme, L', Sévigny, Hélène
Bains flottants, Les, Hutchison, Michael
Ces hommes qui ne communiquent
  pas, Naifeh S. et White, S.G.
Ces vérités vont changer votre vie,
  Murphy, Dr Joseph
Comment aimer vivre seul,
  Shanon, Lynn
Comment dominer et influencer les
  autres, Gabriel, H.W.
Comment faire l'amour à la même per-
  sonne pour le reste de votre vie!,
  O'Connor, D.
Comment faire l'amour à une femme,
  Morgenstern, M.
Comment faire l'amour à un homme,
  Penney, A.
Comment faire l'amour ensemble,
  Penney, A.

Contacts en or avec votre clientèle,
  Sapin Gold, Carol
Contrôle de soi par la relaxation, Le,
  Marcotte, Claude
Dire oui à l'amour, Buscaglia, Léo
* Famille moderne et son avenir, La,
  Richards, Lyn
Femme de demain, Keeton, K.
Gestalt, La, Polster, Erving
Homme au dessert, Un,
  Friedman, Sonya
Homme nouveau, L',
  Bodymind, Dychtwald Ken
Influence de la couleur, L',
  Wood, Betty
Jeux de nuit, Bruchez, C.
Maigrir sans obsession, Orbach, Susie
Maîtriser son destin, Kirschner, Joseph
Massage en profondeur, Le, Painter, J.,
  Bélair, M.
Mémoire, La, Loftus, Élizabeth
* Mémoire à tout âge, La,
  Dereskey, Ladislaus
Miracle de votre esprit, Le,
  Murphy, Dr Joseph
Négocier entre vaincre et convaincre,
  Warschaw, Dr Tessa
On n'a rien pour rien, Vincent, Raymond
Oracle de votre subconscient, L',
  Murphy, Dr Joseph

PSYCHOLOGIE/VIE AFFECTIVE ET PROFESSIONNELLE

Passion du succès, La, Vincent, R.
Pensée constructive et bon sens, La,
   Vincent, Raymond
* Personnalité, La, Buscaglia, Léo
Petit répertoire des excuses, Le,
   Charbonneau, C., Caron, N.
Pourquoi remettre à plus tard?,
   Burka, Jane B., Yuen, L.M.
Pouvoir de votre cerveau, Le,
   Brown, Barbara
Puissance de votre subconscient, La,
   Murphy, Dr Joseph
Réfléchissez et devenez riche,
   Hill, Napoleon
S'aimer ou le défi des relations
   humaines, Buscaglia, Léo

Sexualité expliquée aux adolescents,
   La, Boudreau, Y.
Succès par la pensée constructive, Le,
   Hill, Napoleon et Stone, W.-C.
Transformez vos faiblesses en force,
   Bloomfield, Dr Harold
Triomphez de vous-même et des
   autres, Murphy, Dr Joseph
Univers de mon subconscient, L',
   Vincent, Raymond
Vaincre la dépression par la volonté et
   l'action, Marcotte, Claude
Vieillir en beauté, Oberleder, Muriel
Vivre avec les imperfections de
   l'autre, Janda, Dr Louis H.
Vivre c'est vendre, Chaput, Jean-Marc

ROMANS/ESSAIS

* Affrontement, L', Lamoureux, Henri
* C't'a ton tour Laura Cadieux,
   Tremblay, Michel
* Cœur de la baleine bleue, Le,
   Poulin, Jacques
* Coffret petit jour, Martucci, Abbé Jean
* Contes pour buveurs attardés,
   Tremblay, Michel
* De Z à A, Losique, Serge
* Femmes et politique, Cohen, Yolande

* Il est par là le soleil, Carrier, Roch
* Jean-Paul ou les hasards de la vie,
   Bellier, Marcel
* Neige et le feu, La, Baillargeon, Pierre
* Objectif camouflé, Porter, Anna
* Oslovik fait la bombe, Oslovik
* Train de Maxwell, Le, Hyde, Christopher
* Vatican -Le trésor de St-Pierre,
   Malachi, Martin

SANTÉ

Tao de longue vie, Le,
   Soo, Chee

Vaincre l'insomnie, Filion, Michel et
   Boisvert, Jean-Marie

SPORT

* Guide des rivières du Québec,
   Fédération cano-kayac

* Ski nordique de randonnée,
   Brady, Michael

TÉMOIGNAGES

Merci pour mon cancer,
   De Villemarie, Michelle

COLLECTIFS DE NOUVELLES

* **Aimer,** Beaulieu, V.-L., Berthiaume, A., Carpentier, A., Daviau, D.-M., Major, A., Provencher, M., Proulx, M., Robert, S. et Vonarburg, E.
* **Crever l'écran,** Baillargeon, P., Éthier-Blais, J., Blouin, C.-R., Jacob, S., Jean, M., Laberge, M., Lanctôt, M., Lefebvre, J.-P., Petrowski, N. et Poupart, J.-M.
* **Dix contes et nouvelles fantastiques,** April, J.-P., Barcelo, F., Bélil, M., Belleau, A., Brossard, J., Brulotte, G., Carpentier, A., Major, A., Soucy, J.-Y. et Thériault, M.-J.
* **Dix nouvelles de science-fiction québécoise,** April, J.-P., Barbe, J., Provencher, M., Côté, D., Dion, J., Pettigrew, J., Pelletier, F., Rochon, E., Sernine, D., Sévigny, M. et Vonarburg, E.

* **Dix nouvelles humoristiques,** Audet, N., Barcelo, F., Beaulieu, V.-L., Belleau, A., Carpentier, A., Ferron, M., Harvey, P., Pellerin, G., Poupart, J.-M. et Villemaire, Y.
* **Fuites et poursuites,** Archambault, G., Beauchemin, Y., Bouyoucas, P., Brouillet, C., Carpentier, A., Hébert, F., Jasmin, C., Major, A., Monette, M. et Poupart, J.-M.
* **L'aventure, la mésaventure,** Andrès, B., Beaumier, J.-P., Bergeron, B., Brulotte, G., Gagnon, D., Karch, P., LaRue, M., Monette, M. et Rochon, E.

DIVERS

* **Beauté tragique,** Robertson, Heat
* **Canada — Les débuts héroïques,** Creighton, Donald
* **Défi québécois, Le,** Monnet, François-Marie
* **Difficiles lettres d'amour,** Garneau, Jacques

* **Esprit libre, L',** Powell, Robert
* **Grand branle-bas, Le,** Hébert, Jacques et Strong, Maurice F.
* **Histoire des femmes au Québec, L',** Collectif, CLIO
* **Mémoires de J. E. Bernier, Les,** Therrien, Paul

DIVERS

* **Mythe de Nelligan, Le,** Larose, Jean
* **Nouveau Canada à notre mesure,**
  Matte, René
* **Papineau,** De Lamirande, Claire
* **Personne ne voudrait savoir,**
  Schirm, François
* **Philosophe chat, Le,** Savoie, Roger
* **Pour une économie du bon sens,**
  Bailey, Arthur
* **Québec sans le Canada. Le**
  Harbron, John D.

* **Qui a tué Blanche Garneau?,**
  Bertrand, Réal
* **Réformiste, Le,** Godbout, Jacques
* **Relations du travail,** Centre des
  dirigeants d'entreprise
* **Sauver le monde,** Sanger, Clyde
* **Silences à voix haute,**
  Harel, Jean-Pierre

LIVRES DE POCHES 10 /10

* **37 1/2 AA,** Leblanc, Louise
* **Aaron,** Thériault, Yves
* **Agaguk,** Thériault, Yves
* **Blocs erratiques,** Aquin, Hubert
* **Bousille et les justes,** Gélinas, Gratien
* **Chère voisine,** Brouillet, Chrystine
* **Cul-de-sac,** Thériault, Yves
* **Demi-civilisés, Les,** Harvey, Jean-Charles
* **Dernier havre, Le,** Thériault, Yves
* **Double suspect, Le,** Monette, Madeleine

* **Faire sa mort comme faire l'amour,**
  Turgeon, Pierre
* **Fille laide, La,** Thériault, Yves
* **Fuites et poursuites,** Collectif
* **Première personne, La,** Turgeon, Pierre
* **Scouine, La,** Laberge, Albert
* **Simple soldat, Un,** Dubé, Marcel
* **Souffle de l'Harmattan, Le,**
  Trudel, Sylvain
* **Tayaout,** Thériault, Yves

LIVRES JEUNESSE

* **Marcus, fils de la louve,** Guay, Michel et
  Bernier, Jean

MÉMOIRES D'HOMME

* **À diable-vent,** Gauthier Chassé, Hélène
* **Barbes-bleues, Les,** Bergeron, Bertrand
* **C'était la plus jolie des filles,**
  Deschênes, Donald
* **Bête à sept têtes et autres contes de**
  la Mauricie, La, Legaré, Clément
* **Contes de bûcherons,**
  Dupont, Jean-Claude
* **Corbeau du Mont-de-la-Jeunesse, Le,**
  Desjardins, Philémon et
  Lamontagne, Gilles

* **Guide raisonné des jurons,**
  Pichette, Jean
* **Menteries drôles et merveilleuses,**
  Laforte, Conrad
* **Oiseau de la vérité, L',** Aucoin, Gérard
* **Pierre La Fève et autres contes de la**
  Mauricie, Legaré, Clément

ROMANS/THÉÂTRE

* **1, place du Québec, Paris VIe,**
  Saint-Georges, Gérard
* **7° de solitude ouest,** Blondin, Robert
* **37 1/2 AA,** Leblanc, Louise
* **Ah! l'amour l'amour,** Audet, Noël
* **Amantes,** Brossard, Nicole
* **Amour venin, L',** Schallingher, Sophie
* **Aube de Suse, L',** Forest, Jean
* **Aventure de Blanche Morti, L',**
  Beaudin-Beaupré, Aline
* **Baby-boomers,** Vigneault, Réjean
* **Belle épouvante, La,** Lalonde, Robert
* **Black Magic,** Fontaine, Rachel
* **Cœur sur les lèvres, Le,**
  Beaudin-Beaupré, Aline
* **Confessions d'un enfant d'un**
  demi-siècle, Lamarche, Claude
* **Coup de foudre,** Brouillet, Chrystine
* **Couvade, La,** Baillie, Robert
* **Danseuses et autres nouvelles, Les,**
  Atwood, Margaret
* **Double suspect, Le,** Monette, Madeleine
* **Entre temps,** Marteau, Robert
* **Et puis tout est silence,** Jasmin, Claude
* **Été sans retour, L',** Gevry, Gérard
* **Filles de beauté, Des,** Baillie, Robert
* **Fleur aux dents, La,** Archambault, Gilles
* **French Kiss,** Brossard, Nicole
* **Fridolinades, T. 1, (1945-1946),**
  Gélinas, Gratien
* **Fridolinades, T. 2, (1943-1944),**
  Gélinas, Gratien
* **Fridolinades, T. 3, (1941-1942),**
  Gélinas, Gratien
* **Fridolinades, T. 4, (1938-39-40),**
  Gélinas, Gratien
* **Grand rêve de Madame Wagner, Le,**
  Lavigne, Nicole
* **Héritiers, Les,** Doyon, Louise
* **Hier, les enfants dansaient,**
  Gélinas, Gratien

* **Holyoke,** Hébert, François
* **IXE-13,** Saurel, Pierre
* **Jérémie ou le Bal des pupilles,**
  Gendron, Marc
* **Livre, Un,** Brossard, Nicole
* **Loft Story,** Sansfaçon, Jean-Robert
* **Maîtresse d'école, La,** Dessureault, Guy
* **Marquée au corps,** Atwood, Margaret
* **Mensonge de Maillard, Le,**
  Lavoie, Gaétan
* **Mémoire de femme, De,**
  Andersen, Marguerite
* **Mère des herbes, La,**
  Marchessault, Jovette
* **Mrs Craddock,** Maugham, W. Somerset
* **Nouvelle Alliance, La,** Fortier, Jacques
* **Nuit en solo,** Pollak, Véra
* **Ours, L',** Engel, Marian
* **Passeport pour la liberté,**
  Beaudet, Raymond
* **Petites violences,** Monette, Madeleine
* **Père de Lisa, Le,** Fréchette, José
* **Plaisirs de la mélancolie,**
  Archambault, Gilles
* **Pop Corn,** Leblanc, Louise
* **Printemps peut attendre, Le,**
  Dahan, Andrée
* **Rose-Rouge,** Pollak, Véra
* **Sang de l'or, Le,** Leblanc, Louise
* **Sold Out,** Brossard, Nicole
* **Souffle de l'Harmattan, Le,**
  Trudel, Sylvain
* **So Uk,** Larche, Marcel
* **Triangle brisé, Le,** Latour, Christine
* **Vaincre sans armes,**
  Descarries, Michel et Thérèse
* **Y'a pas de métro à Gélude-la-Roche,**
  Martel, Pierre